Maquette de la page couverture
Bernard Lépine, graphiste

Illustrations
Calligraphie A.L.G. enr.

Révision du texte, correction et coordination
Communication Pro Santé inc.

Réalisation graphique
L'Empreinte communication inc.

Dépôt légal: 2e trimestre 1989
Bibliothèque Nationale du Canada
Bibliothèque Nationale du Québec
ISBN 2-9801093-0-4

Dr Roland Albert

LA SANTÉ SANS PRESCRIPTION

Vaincre ses maladies et ses malaises

CAHAC inc. éditeur
C.P. 495
Sillery, Québec,
G1T 2R8

DU MÊME AUTEUR

- Aimer, comprendre, éduquer son enfant
- Les 9 mois utérins de Frimousse
- L'apprenti sage à l'écoute des enfants
- Une vie, une santé

Ces volumes sont disponibles chez:

CAHAC inc.
C.P. 495
Sillery, Québec
G1T 2R8

TABLE DES MATIÈRES

RESPLENDIR

Ô Santé de l'Âme
Toi le pouls de l'Univers,
Viens, irradie et réclame
L'être qui a trop souffert

Toi Amour, en nous, flamme
Parcelle de la Vibration divine
Résonne, éclate en charme.
Des cellules, la vie, raffine

Élève l'autre en lui même
Qu'à son tour, il donne
Aux autres, trop blêmes,
Le son de Toi, qu'il chantonne.

Façonne, des corps flétris
Un Jardin d'Éden,
Où pousse des fleurs ravies
Que tu embaumes de «je-t'aime»

Que le fardeau de l'existence
Sans toi, maladies, malaises,
Rayonne de ton essence,
Et s'allège, flottant d'aise.

Qu'en toi on trouve la sécurité
Le confort et la stabilité,
Et non, dans la relative matière
Qui est l'instrument de misère.

Ô Santé de l'Âme
Toi le pouls de l'Univers
Fais que le corps vivant s'exclame
Guéri par l'Amour dans sa misère

Ô Santé de l'Âme
Change la convention en conviction ardue
Purifie la matière par ta flamme
Métamorphose le relatif en absolu.

Que la vibration de la parole
Soit prolongée dans le geste
Que chaque mission joue son rôle
Et ouvre les portes célestes.

Roland Albert
Février 1989

AVANT-PROPOS

LA NATURE: UN MAITRE DE SANTÉ

On nous a appris à lire, à écrire, à compter durant de longues années. Et pendant tout ce temps, nous avons vécu en apprenant les codes de la civilisation; code de la route, code d'éthique et de la politesse, de la loi, code et encore code...

Pendant que nous apprenions à raisonner notre existence sur la planète Terre, nous vivions comme si elle n'existait pas et nous faisions des recherches pour aller à la lune, pour développer des techniques, pour l'avancement des sciences, pour reculer la mort en tuant les effets de la maladie. En un mot, nous nous cherchions, comme nos maîtres se cherchaient, dans une instruction boiteuse sous bien des aspects. Mais à travers tout cela, certains ont eu cette chance inexplicable d'avoir la Nature comme Maître.

Tout ce temps, la Terre était là, nous appelant, se montrant, tentant de nous toucher par ses saisons et ses vies. Nous étions aveugles. Nous voulions faire mieux, et nous avons investi beaucoup d'efforts en ce sens; mais était-ce vraiment pour le mieux ? Voilà qu'aujourd'hui, nous étouffons nos forêts, nous empoisonnons nos eaux, nous dénaturons nos sols et nos aliments, nous concoctons nos remèdes à partir de dérivés du pétrole et nous nous permettons même d'obscurcir notre soleil. Comme si ce n'était pas suffisant, nous dénaturons souvent nos enfants, comme nous le faisons pour les fruits de notre terre, en les malformant de toutes les façons.

Nous ne méritons plus de fils et de filles. Nous avons fait de la Terre un bourbier. Mais il n'est pas dit que la Nature n'aura pas le dernier mot.

Existe-t-il encore des yeux qui voient et des oreilles qui entendent ? Existe-t-il encore des nez qui sentent, qui hument et des langues qui goûtent ? Existe-t-il encore des peaux qui perçoivent les caresses et des articulations qui peuvent enjamber des sols même irréguliers sans être goudronnés ?

Pouvons-nous encore réapprendre à observer avant de lire, à faire avant d'écrire, à suivre l'évolution avant de détruire, à chanter avant de parler, à sourire avant de pleurer ? Pouvons-nous comprendre le langage de la vigueur avant celui de la faiblesse, celui de l'effort avant celui de la facilité et celui de la Vie qui monte avant de s'incliner ? Connaissons-nous la sensation de la vigueur qui nous apprend l'adaptation ?

Si vous dites oui, c'est que vous êtes prêt à changer de Maître et ce nouveau Maître s'appelle la Nature.

Comme une source, il jaillit de la montagne, malgré le fardeau des rochers qui l'écrase. Il se tient droit comme le pin, malgré la bourrasque qui fait rage. Il étend ses branches comme l'orme des champs, malgré la forêt qui l'envahit. Il est limpide comme l'eau des sources et rude comme le vent de la tempête qui fouette. Il est ascendant comme la plus haute montagne et il cuit comme un soleil ardent. Et il aime ce Maître; il aime celui qui accepte son épreuve comme un instrument de croissance et de vitalité.

Lorsque nous sortons de son moule, nous sommes vigoureux comme le torrent, souples comme le rosier, clairs comme le cristal et solides comme le diamant. C'est le Maître par excellence qui ne connaît pas la peur, la pitié et le mal. Il a été étouffé dans beaucoup de consciences comme on a étouffé jadis les enseignements des autochtones.

Avec nous, il aime la faim parce qu'il fait pousser le blé pour y répondre. Il aime la soif parce qu'il fait couler la source pour la désaltérer. Il aime le grain de sable qui blesse parce qu'avec le temps il en fait une perle. Il aime le grain qui meurt à lui-même parce qu'il le multiplie dans l'épi. Il aime la sueur du laboureur parce qu'elle déclenche la vie dans la semence qui suivra le labour. Il aime secouer les branches et les faire siffler parce qu'il en libère les fruits.

Le Maître Nature ne soigne pas la maladie, mais il cherche à promouvoir la Santé. Il fait du bien en rendant meilleur. C'est un Maître qui demande aux faibles un effort progressif pour se renforcer. Il ramène l'ordre de la Vie à partir du chaos, et le bien-être de la vigueur plutôt que la langueur des mourants...

Pendant les cours du Maître, point de sommeil. Il ne vous fera pas tomber en amour, mais il vous élèvera à l'Amour. Il ne vous laissera pas le dédain, mais il épanouira vos visages. Il ne portera pas votre croix parce qu'il sait que celle-ci vous vaudra la résurrection à sa vitalité. La Nature est ce Maître intransigeant qui ne se fait pas votre juge, mais qui se sert de vos expériences et de vos épreuves pour se faire connaître à vous. Ce maître ne recherche pas son profit, mais il vous fait profiter de le connaître. Il ne vous charge pas d'intérêt, mais il vous guide vers le vôtre, vers votre vitalité, votre vigueur et votre santé optimale. Et je suis heureux de me faire son interprète, bien humblement, parce qu'Il ne révèle pas à chacun les mêmes facettes de sa vie.

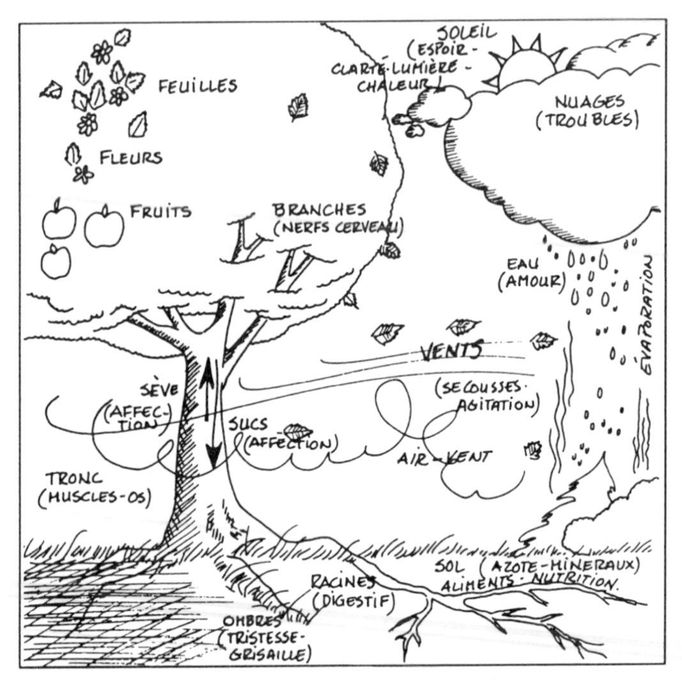

Schéma 1 – L'ARBRE HUMAIN

L'ARBRE DE LA VIE ET DE L'AMOUR DE VIVRE OU LA THÉRAPIE PAR L'IMAGE MENTALE

Pourquoi l'image ? Parce qu'elle vaut mille mots ou mille maux, selon votre interprétation ! «Se figurer une situation», comme disait mon père, «ça permet de voir ce que nous pouvons trouver comme solution dans le portrait».

Dans mes nombreuses conférences, j'aime bien initier le contact mental avec l'auditoire par ce petit problème: **Qu'est-ce que vous pensez essentiel à la survie de l'arbre, à sa vie et ses fonctions ?**

Si on considère les éléments de l'environnement, la plupart vont donner comme réponse le sol, le soleil, l'air et l'eau. Et vous qui me lisez, qu'en pensez-vous ? Faites un ordre de priorité en inscrivant les chiffres 1 à 4 à côté de ces éléments.

Soleil Sol Eau Air

Si on considère les éléments constituants de l'arbre, plusieurs vont mentionner la sève, les feuilles, les racines, les branches, le tronc. À votre tour, inscrivez votre ordre de priorité en les numérotant de 1 à 5.

Sève Feuilles Racines Branches Tronc

Maintenant, ajoutez les éléments de l'environnement et les éléments constituants de l'arbre qui, d'après vous, sont importants pour sa survie et sa vie et que je n'aurais pas mentionnés.

Combien en avez-vous trouvés de plus ? Je vous ai volontairement laissé de la place pour huit. En avez-vous autant ? Probablement pas. Nous éprouvons de la difficulté à nous représenter certains éléments et à leur attribuer un rôle dans la vie et la survie de l'arbre qui vient pourtant du même Créateur que nous. Il en est probablement de même pour les éléments de notre vie et de notre survie.

Jusqu'à maintenant, n'avons-nous pas trop attendu ces éléments des autres ? Est-ce que notre niveau d'observation et de réflexion consciente est à ce point limité ? Refusons-nous certains éléments parce que notre subconscient les retient ? Sommes-nous inconsciemment en état de malaise ? Cherchons-nous à «avoir» alors que nous aurions tout pour «être» ? Encore une fois, attendons-nous des autres ce que nous avons à l'intérieur de nous ? Vivons-nous du passé (du «pas assez») ? Sommes-nous présents à notre vie et à notre existence ? Entrevoyons-nous notre avenir ? **En un mot, est-ce que nous sommes «en devenir» ?** Voilà autant de questions auxquelles la métaphore qui suit devrait fournir des réponses.

Il y a trois motifs essentiels qui peuvent expliquer la raison de vos choix.

1. Vous avez choisi en priorité cet élément plus qu'un autre parce que vous êtes très **conscient** et objectivement conscient de son importance.

2. Vous avez choisi en priorité cet élément parce que vous avez particulièrement **besoin** de celui-ci. En effet, il se peut qu'un grand vide en soi nous fasse aspirer de tout notre être à cet élément que nous croyons ou pensons absent de nos vies.

3. Vous avez choisi cet élément **au hasard** de votre pensée sans trop réaliser les influences des éléments que vous connaissez et qu'un guide pourrait vous expliquer.

Reprenez donc maintenant vos réponses et inscrivez le chiffre correspondant à ces trois grandes raisons qui ont motivé vos choix des éléments de vie et de survie de l'arbre. Faites le décompte, remarquez le chiffre qui revient le plus souvent, puis lisez ce qui suit:

1. Vous êtes réaliste et vous faites votre devenir avec ce qui passe.

2. Vous êtes en situation de besoin, de malaise; vous cherchez une réponse ou une solution à votre existence et à votre vie et personne ne vous en a décodé la signification.

3. Vous êtes inconscient ou vous errez dans le temps et l'espace, à l'aventure et au gré de l'échec et de la réussite. Peut-être êtes-vous désemparé ou encore tellement courageux que vous vous adaptez aux circonstances de l'existence selon votre foi dans les autres ou votre foi en Dieu-vivant.

Reprenons maintenant en premier lieu les éléments de l'environnement de l'arbre qui sont essentiels à sa vie et à sa survie. Décodons ensemble leur sens pour mieux comprendre leurs correspondances avec nous. Un monde de sentiments et de lumière s'offre à vous si vous réfléchissez avec moi. Et le sentiment lumineux, c'est l'amour en soi et l'amour des autres et des choses qui nous habitent ou qui nous entourent.

LE SOLEIL

Le soleil, c'est à la fois la **lumière**, la chaleur, la clarté du jour ou de la réalité. Mais c'est aussi le symbole de l'espoir, de l'espérance, de la connaissance. Le noir, c'est le désespoir, c'est la nuit des sens et c'est l'inconscience. Ceux qui voient le soleil comme un élément prioritaire sont des individus pour qui le soleil est présent dans leur vie actuelle ou qui souhaitent sa présence.

Le soleil éveille la vie du sol nourricier de votre arbre. Il évapore l'eau de l'amour, donne l'ombre qui vous suit selon le feuillage de votre arbre et la direction de votre regard. Par son action rayonnante sur les feuilles, il accomplit la photosynthèse des sucs ou de l'énergie de l'arbre pour le préparer à la saison froide et lui redonner ensuite l'énergie pour le printemps des saisons de vos pensées.

LE SOL

Le sol, c'est la prise des racines dans la **réalité** de l'existence, là où l'arbre puise la nourriture qui aide à sa croissance et à la réparation de ses blessures. C'est aussi le refuge des racines afin de les protéger des froidures de l'hiver de vos sentiments. C'est le refuge protégeant des grandes sécheresses de vos exaltations pleines de lumière des jours où le bonheur vous ferait presque perdre la tête.

Le sol, c'est aussi le pied-à-terre de la réalité et du réalisme. C'est la difficile réalité de l'existence et du poids de celle-ci. Le sol, c'est votre nutrition quotidienne, votre pain quotidien.

L'AIR

L'air, c'est la respiration. C'est le jeu des échanges qui se répètent, deux fois par jour pour l'arbre et 16 à 20 fois par minute pour l'être humain. C'est le sentiment d'inspiration et d'expression du mouvement invisible qui brasse et agite la réalité, qui fait siffler les branches, ployer le tronc, agiter les feuilles, assécher l'atmosphère, éparpiller les semences aux quatre coins du champ de votre existence. L'air en mouvement, c'est le goût de l'aventure qui passe temporairement.

L'EAU

L'eau, c'est comme l'affection ou l'amour. Elle purifie, elle lie et transporte. Elle s'évapore et se condense, coule de la source, se calme comme l'étang et s'évapore. Elle tombe en cascades ou se tord toute remuée ou en remous. Elle use la montagne de vos difficultés, rejoint l'océan d'amour et fait des îles dans ses deltas, avec les débris de la montagne de nos difficultés. L'eau solubilise le sol nourricier pour le rendre accessible à la racine de l'arbre. Elle ramène les sucs de la photosynthèse aux tubercules des racines. L'eau est comme l'amour autour de vous et en vous.

Voilà donc quelques réflexions sur les éléments de l'environnement nécessaires à la vie et la survie de l'arbre ainsi que leurs analogies avec notre vie et notre survie.

Regardons donc ensemble maintenant les analogies que peuvent nous suggérer les éléments constituants de l'arbre que sont la **sève**, les **feuilles**, les **racines**, les **branches** et le **tronc**.

LES RACINES

Les racines représentent les instruments et les annexes de votre tube digestif, le pancréas et le foie, qui extraient du sol nourricier de votre alimentation les nutriments pour votre croissance et le renouvellement de vos structures et de l'énergie de vos dépenses, ainsi que l'énergie pour la réparation des tissus devenus malades ou en malaise. Les racines, c'est le domaine organique du bio-apprentissage[1].

Bien se nourrir éloigne les accidents de la maladie. Blessez vos racines, et vous perdez du poids et de la vigueur. L'expression «la racine du malaise» vous est sûrement bien connue. C'est un peu le retour aux sources pour accomplir en soi la guérison par la nutrition.

LE TRONC

Le tronc de l'arbre représente votre ossature et votre musculature cardiaque comme celle des membres de votre tronc. Le tronc unit les racines (domaine organique) aux branches (domaine intellectuel). C'est le lien qui laisse monter la sève de votre sang vers le sommet des branches pour la croissance et la génération de vos feuilles. C'est le lien qui laisse descendre dans les tubercules de vos racines

1. Bio-Apprentissage est le nom de l'approche globale mise sur pied par le docteur Roland Albert et qui regroupe cinq grands domaines. Consultez son livre «L'apprenti-sage à l'écoute des enfants».

les sucs de la photosynthèse de vos feuilles, de vos expériences sensorielles vécues antérieurement, et qui peuvent vous aider à passer à travers les difficultés saisonnières de toute votre existence.

Dans le champ, le tronc de l'arbre soumis aux tempêtes sera fort. Par contre, l'arbre humain trop protégé des secousses de l'existence sera faible de tronc et allongé de forme, avec de petites racines et de petites branches intellectuelles. Ce sont les bourrasques de l'existence qui nous rendent forts et résistants. Notre écorce porte les marques et les écorchures de ces épreuves.

LES BRANCHES

Les branches sont les symboles de notre système nerveux. Ce dernier travaille avec la lumière de la conscience et de la logique par la photosynthèse de ses feuilles. Il met en mémoire les énergies de nos expériences et de nos connaissances, tout comme l'arbre met en réserve les sucs pour les moments plus durs de la saison froide.

Les branches intellectuelles nous font gémir ou siffler dans la bourrasque de certains moments de l'existence, mais les branches ploient et retournent leurs feuilles pour capter plus d'énergie. Les branches font de l'ombre au pied de notre arbre pour conserver au sol la plus grande humidité possible, afin que les ressources de notre sol nourricier ne nous manquent pas, pour croître et grandir vers la lumière du soleil de nos vies, vers l'espoir du lever d'un soleil radieux et d'une lumière sur notre souffrance.

LES FEUILLES

Les feuilles sont des capteurs d'énergie, comme nos sens qui sont touchés par les sensations de l'existence. Nos sens sont ces mécanismes qui alimentent notre cerveau en expériences, en connaissances. Les feuilles, comme nos sens, sont d'un vert sain qui nous indique notre faculté d'apprendre et de comprendre.

LA SÈVE

La sève est comme notre sang qui contient les nutriments de notre alimentation venant du sol. Sa montée sert autant à la croissance et à la réparation cellulaire qu'au renouvellement et aux dépenses occasionnées par l'exercice de notre vitalité. La sève est la diffusion de notre amour pompé par le coeur et qui nourrit tous les tissus de notre corps pour en conserver la vigueur et le courage.

Voilà donc les cinq éléments de l'arbre les plus souvent cités lorsque, dans mes conférences, j'interroge mon auditoire sur les principaux éléments constituants de l'arbre. Mais il y en a au moins huit autres qu'on oublie et qui contribuent à la vie et à la survie de l'arbre. Dans nos propres vies, ce sont les difficultés, les maladies, les troubles de toutes sortes, trop souvent perçus, à tort, négativement. **C'est toujours un peu attristant de penser qu'il y a des gens qui sont incapables de voir le côté positif de leur vécu**. Ils le refoulent en dedans d'eux, se privant ainsi de ressources importantes de survie et de vie. Tout le temps, ils cherchent dans les autres la positivité de ce qu'ils ont en eux ou bien ils envient carrément les autres de ce qu'ils possèdent déjà. Ils ne peuvent pas traduire les messages qui sont inscrits en eux. Les messages (mets sages) non acceptés, produisent un jeûne très souffrant, créateur de malaises et de maladies. Voyons donc ces nouveaux éléments.

LES NUAGES

Les nuages représentent le trouble en nous. Personne n'aime ce trouble qui nous cache le soleil de l'espoir et sa lumière. Pourtant, le nuage renferme l'eau, un des éléments essentiels à la survie et la vie de l'arbre. L'eau, c'est comme l'amour, même si elle ne tombe que goutte à goutte.

C'est le nuage, le trouble qui fait retourner nos feuilles et nous fait réfléchir. C'est encore lui qui nous apporte la pluie qui érode le terrain, découvrant les éléments du sol pour que la sève s'enrichisse et nous procure une nouvelle énergie de croissance et de vitalité. **Ne soyez plus inquiets du trouble et des nuages. Le vent peut les chasser.** L'aventure aussi peut les chasser, mais ne prenez pas l'aventure pour de la stabilité et un mode nouveau des choses. Elle doit être temporaire sinon elle assèche l'atmosphère de vos vies et vos racines ne peuvent plus avoir d'eau pour nourrir vos éléments d'arbre humain.

LE VENT OU LES BOURRASQUES

Nous avons tous été «bourrassés» durant nos folies d'enfance. Quelquefois un peu trop fortement peut-être. Mais est-ce si négatif ? Nous étions de petites pousses souples et capables de ployer sous la bourrasque. Le vent violent a tiré sur nos racines, rendant la terre ou le sol meuble et plus facile à pénétrer. Ainsi nous avons pu trouver une terre nouvelle et grandir par la vigueur des éléments ou des nutriments renouvelés de notre alimentation.

Voyez l'arbre des champs comme ses branches sont longues à cause de ses longues racines et voyez comme son tronc est fort. Remerciez le ciel de l'étendue de vos branches intellectuelles et de la force de votre tronc musculaire et osseux et servez-vous en pour rendre mille services aux autres quand ils le demandent pour le plus grand bien de tous. **L'amour, ce n'est pas le pouvoir sur les autres; c'est le pouvoir avec les autres** en développant leur propre pouvoir humain et amoureux.

L'OMBRE DE L'ARBRE

Combien d'entre vous regardez amèrement votre ombre en disant que la vie est triste et grise ? Quand vous voyez votre ombre, c'est que votre point de vue ou votre regard est tourné vers le sol et non vers le ciel. C'est que vous tournez le dos au soleil de la chaleur affective, au soleil de la lumière intellectuelle de la compréhension, au soleil de la clarté du jour et à la vision de l'espoir. Mais si vous voyez votre ombre, dites-vous bien que, sous votre arbre, elle conserve au sol l'humidité qu'il lui faut pour garder de l'eau (de l'amour), pour que les éléments nutritifs de votre sève puissent donner de la vitalité et de la vigueur à votre arbre humain. L'amour possède ainsi mille facettes dont vous ne devriez pas vous priver.

LES SUCS

Nous oublions souvent les sucs de l'arbre comme nous oublions que c'est la somme de ce que nous avons vécu qui nous permet d'être vigoureux quand viennent les saisons difficiles. Les sucs sont une énergie de réserve sans laquelle notre arbre humain ne pourrait passer la saison froide et renaître au printemps d'une nouvelle saison, d'une nouvelle situation ou d'une nouvelle idée. Ils naissent de l'action du soleil sur nos sens. Ce sont nos connaissances mémorisées.

LES FLEURS

Les fleurs de l'arbre humain ne sont pas seulement jolies à regarder. Les fleurs sont les beautés de nos communications sociales, de nos relations humaines. C'est à la fois la créativité et l'échange entre les humains qui rendent la fleur de leur imagination fertile et capable de donner un fruit, telle une idée nouvelle qui fera naître une solution amoureuse chez les autres.

LES FRUITS

Les fruits, par les pépins qu'ils contiennent, représentent la survie de l'arbre en tant qu'espèce. Il en est de même chez les humains où ils sont le résultat de la vitalité de l'individu. Ils s'expriment dans les enfants que nous mettons au monde, dans les idées que nous exprimons, dans nos créations. Une autre facette de l'amour se découvre ainsi à nous et nous accorde un pouvoir de partager, donc d'aimer.

LES AUTRES ARBRES

Sans les autres qui échangent avec nous ce qu'ils peuvent, et non ce qu'ils veulent, nous ne serions ni expérimentés, ni éprouvés. Sans les autres, pas d'échange, pas de motivation à se dépasser. Combien peu fertiles serions-nous sans eux ! Peut-être nous cachent-ils un peu de soleil et nous obligent-ils au partage du sol ? Mais, s'il en est ainsi, ils nous offrent aussi la protection de leur tronc.

Si vous les sentez trop près, ne les éloignez pas, mais éloignez-vous tout doucement, ou bien étendez plus haut votre cime par votre effort, et vous aurez alors une part du soleil, tout en conservant leur affection.

Viennent enfin toutes ces choses particulières qui font que vous êtes bien vous-mêmes. N'acceptez que ce que vous aurez traduit positivement. Tout ce que vous avez vécu est positif dans le fait ou bien le sera dans le temps, rempli d'espoir et d'amour que vous partagerez.

Et les Écritures nous disent que le Maître se retira pour prier... car seulement la prière développe la patience qui permet d'attendre la métamorphose de nos vies. La chenille tisse son cocon pour se retirer du bruit du monde, pour prier. À défaut du soleil autour d'elle, elle attend son moment, remplie d'espoir en elle-même. C'est ce temps de prière et de méditation qui fait de la chenille un magnifique papillon aux couleurs de l'arc-en-ciel qui peut déployer ses ailes et trouver les fleurs de l'existence.

CHAPITRE 1
COMMENT SE SERVIR DE LA NATURE

Un **maître** discipline son élève et lui apprend d'une part à utiliser ce qu'il expérimente ou éprouve comme enseignement sensoriel et cognitif et, d'autre part, il l'aide à se connaître de par ce qu'il vit. Par contre, un **professeur** ne fait qu'enseigner des notions classifiées afin d'ordonner la somme des connaissances de son élève.

Un enseignement touche d'abord nos sens. Nous nommons cela l'expérience de la vie, si nous sommes actifs vis-à-vis de ce que nous vivons ou apprenons. Si nous subissons, si nous sommes passifs, cela devient une épreuve.

Nous acceptons facilement une **expérience** sensorielle parce que nous sommes conscients de nous y être aventurés de nous-mêmes. Par contre, une **épreuve** nous arrive tout à fait à l'improviste. Cela surprend ou nous surprend. N'y a-t-il pas plus grande surprise que la maladie, la souffrance et la douleur ? Pourtant c'est une expérience ou une épreuve sensorielle, rien de plus, rien de moins. Nous devrions pouvoir en retirer quelques fruits une fois la surprise passée. Mais combien d'entre nous cherchent à se geler, à s'engourdir pour neutraliser cette épreuve. En voulant fuir la douleur, la maladie ou le malaise, nous

nous privons d'un apprentissage individuel important, en plus de nous priver d'une prise de conscience de nous-mêmes.

Ce qu'il faut retenir, c'est que les épreuves ou les expériences passent par les sens.

Il importe donc de savoir combien de sens nous avons. L'école, malheureusement, nous a appris que nous n'avions que cinq sens. Ce qui n'est pas faux, mais très incomplet en rapport avec ce que notre vécu nous a appris par la suite.

Voici les autres sens qu'il importe de connaître si vous voulez apprendre de la Nature (voir schéma 2).

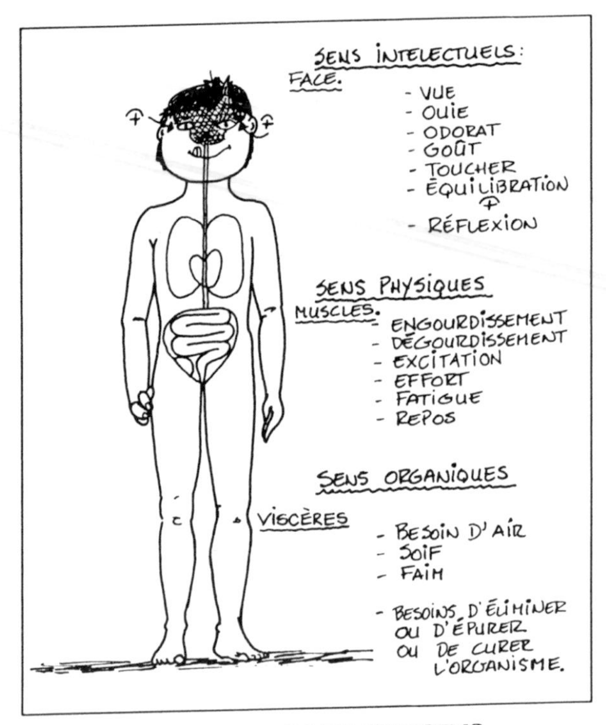

Schéma 2 – NOS DIVERS SENS

LES SENS ORGANIQUES OU DE SURVIE

Ces sens sont d'abord le **besoin d'air** que nous ressentons après chacune de nos expirations, après un effort, durant une pneumonie ou une bronchite qui entrave le passage de l'air dans les poumons. Nous le ressentons quand nous avons le nez bouché, les sinus pleins; nous pouvons même le ressentir quand le cœur est fatigué, quand le sang est anémique et que nous manquons de fer dans nos globules rouges.

L'individu actif sera averti immédiatement s'il manque d'air pour l'une ou l'autre de ces raisons, parce qu'il exploite son potentiel. Par contre, l'individu passif et sédentaire pourra être dans un état délabré sans qu'il perçoive ces manques. L'ascension d'une montagne nous incite à l'effort. En plus, l'air se raréfie en montée et nous pouvons expérimenter notre capacité de satisfaire ce besoin d'air. Voilà pourquoi une bonne marche forcée à tous les jours vient nous donner un enseignement de la Nature.

Il y a ensuite la **soif** que nous ressentons quand nous avons perdu beaucoup de liquide ou d'eau dans notre organisme par la respiration, par la transpiration durant l'effort, la fièvre, l'hémorragie, par une anomalie de nos mécanismes de rétention d'eau du point de vue nerveux ou hormonal. La soif que nous ressentons aussi parce que nous avons consommé de l'alcool, trop de sel, parce que nous ne buvons pas assez ou bien parce que nous sommes dans un endroit de la nature où il fait chaud et où le climat est aride, ou dans une demeure surchauffée.

La soif peut provoquer un état altéré de conscience, des hallucinations ou, si vous aimez mieux, des mirages. Certains seront plus agressifs, d'autres plus déprimés. Mais la Nature nous enseigne à répondre à ce besoin en buvant de l'eau et de la bonne eau (aujourd'hui l'eau distillée, filtrée ou de source). Notre consommation moyenne devrait être de 30 onces ou d'un litre par jour. Combien de gens connaissez-vous qui ne consomment pas assez d'eau ?

Comment peuvent-ils alors demeurer vigoureux et en santé s'ils ont perdu ce sens important ?

Il y a aussi le sens de la **faim** que nous ressentons après un jeûne de quatre à cinq heures, ou encore après une forte dépense d'énergie, un travail, une activité forçante ou un effort musculaire. Nous pouvons avoir des faims altérées par une mauvaise circulation qui garde les cellules ou le cerveau sans nutrition. Nous pouvons avoir faim parce que nous mangeons un certain volume d'aliments qui, croyons-nous, contiennent des nutriments, alors que ce sont des aliments frelatés, tués, vidés de toute vitalité. La Nature, en bon Maître, ne nous donne que ce qui nous nourrit vraiment, mais nous l'ignorons pour ne manger que des dérivés plastiques de l'industrie, parce qu'ils ont telle saveur et telle couleur. Mais la saveur et la couleur ne sont pas des critères qui répondent à la faim de nos cellules.

Il y a également les trois sens épuratifs qui nettoient l'organisme de ses déchets. Ce sont les sens de l'**expiration des gaz carboniques**, de l'**élimination des déchets liquides** par le rein, la sueur et les vapeurs pulmonaires et de l'**élimination des déchets solides** (matières fécales) par notre intestin.

À l'opposé du sédentarisme, ce sont l'exercice et l'effort physique, avec les fibres que nous mangeons et l'eau que nous buvons, qui nous permettront de bien éliminer. La Nature est simple. Passons outre à sa demande, et nous voilà en train de nous empoisonner par nous-mêmes avec nos propres déchets. Les gaz carboniques endorment le système nerveux qui ne peut plus sentir; les déchets liquides intoxiquent les cellules et briment leurs fonctions; les déchets solides, par l'action des bactéries qu'ils contiennent, fermentent, et ces bactéries sécrètent des toxines qui envahissent notre foie puis notre sang et rendent les fonctions de nos cellules complètement «maboules»: on se rend malade.

LES SENS PHYSIQUES

Il y a ensuite un deuxième groupe de sens qui sont les **sens physiques** de notre mobilité équilibrée en position debout. Ces sens nous renseignent sur les conditions de nos os et de nos muscles à travers notre inertie ou nos mouvements et nos efforts. Ce sont les sens de l'**engourdissement**, du **dégourdissement**, de la **fatigue**, de l'**effort**, du **mouvement** de nos os et de nos articulations, de la **vibration** que ceux-ci enregistrent.

Si vous cessez d'être actif, de bouger, de faire des petits efforts quotidiens, vous devenez ankylosé, le sang cesse de couler avec force et de nourrir les tissus et les cellules à la périphérie et au cerveau; les muscles sont moins irrigués de sang, diminuent de volume et s'affaiblissent. Les muscles de la poitrine ne peuvent plus gonfler le thorax d'air et vous ne vous oxygénez plus; les muscles du ventre ne peuvent plus brasser les intestins et vous ne digérez plus, tout comme vous ne pouvez plus évacuer les déchets dans vos selles. Vous ne suez plus et d'autres déchets s'accumulent dans les glandes, un peu partout. Vous vous congestionnez, vous devenez un milieu propice au développement des microbes qui poussent, en effet, comme si votre inactivité leur faisait croire que vous êtes mort. Vous pourrissez de votre vivant.

Ce n'est pas très drôle, mais la Nature est ainsi faite. Pour elle, ce qui bouge est vivant, ce qui ne bouge pas est mort. Il est donc important de remplir adéquatement les leçons que nous enseignent les sens physiques. Agir fait partie de la vie, de l'amour.

LES SENS INTELLECTUELS

Nous venons de voir nos avertisseurs sensoriels qui servent à la survie: nos sens organiques. Nous avons vu ensuite les sens de notre activité physique. Mais il existe d'autres sens encore. Ce sont ceux-là même que nous avons appris sur les bancs de l'école. On nous a dit qu'il y en avait cinq, mais encore une fois ce n'est pas tout à fait exact. Il y en a au moins six. Ce sont les **sens intellectuels** proprement dits qui détectent notre environnement visible (la vue), sonore (l'ouïe), olfactif (l'odorat), gustatif (le goût) et tactile (le toucher). Le sixième sens nous permet de ressentir les plans de changement de position de notre corps durant le déplacement au moyen des canaux semi-circulaires du système vestibulaire.

Voir n'est pas aussi simple que nous le pensons. Ceux qui ne voient que de près n'interprètent pas l'environnement de la même façon que ceux qui voient de loin uniquement. Les myopes (vue de proche) voient surtout les détails. Ils sont très analytiques en règle générale. Les presbytes (ceux qui voient bien surtout de loin) ont davantage une vision synthétique qu'analytique. Ils voient les ensembles et souvent le détail leur échappe. Vous comprendrez que si nos décisions partent souvent de notre façon de voir les choses (nos points de vue), il se peut très bien que la discussion chauffe durant un échange d'idées. Bien décoder visuellement, c'est bien voir du plus proche au plus loin et du plus loin au plus proche, dans tous les sens d'une sphère. Sinon, cela peut créer des tensions internes comme des difficultés externes.

Entendre comporte tout autant de particularités. Il s'agit d'entendre les sons graves, comme les sons aigus. De savoir en plus les interpréter, les décoder, comme nous disons souvent. L'interprétation sera d'ailleurs toujours faite à travers le prisme de notre personnalité, mais nous reviendrons là-dessus plus loin. Ensuite, il faut être capable de les mémoriser puis de faire une action juste et en conséquence de ce qui a été entendu. Les sons jouent un rôle important sur le tonus musculaire et les bruits créent des tensions importantes. Il nous faut le silence de temps en temps pour rester en bonne santé, comme il faut le noir alterné avec les couleurs pour conserver la santé de son système nerveux: c'est le repos.

Un mot maintenant sur le **sens du positionnement** à l'arrêt debout et du positionnement équilibré durant l'exécution de nos mouvements. Quand nous marchons, notre corps oscille et nous devons conserver notre équilibre même si le terrain est accidenté et même si nos yeux ne l'ont pas perçu. Ce sont les canaux semi-circulaires du système sensoriel vestibulaire qui en sont responsables. Ils fonctionnent dans les trois directions; le «oui», le «non» et le «peut-être» en faisant des signes de la tête.

Nous sommes bien plus conscients des troubles de vision et des problèmes d'audition. Mais nous ignorons très souvent les problèmes de vertige, de mal du mouvement et leurs origines parce que nous avons, comme le public en général, ignoré la présence de ces canaux semi-circulaires. Le vertige, les étourdissements sont souvent causes de phobies et de stress, et aussi de dérèglements du tonus musculaire à chacune de nos articulations.

Ces trois premiers sens intellectuels sont situés les plus hauts dans le crâne et sont, à proprement parler, les plus intellectuels de tous.

Ensuite, il y a l'**odorat** qui avertit notre cerveau et notre système respiratoire et immunitaire des mesures à prendre vis-à-vis les conditions de l'environnement respiratoire. Ce sens enregistre et détecte les anomalies de l'air que nous respirons.

Le sens du **goût**, en détectant le sucré, le salé, l'aigre, l'amer et le sûr, nous permet de prendre conscience de la valeur des aliments et breuvages que nous ingérons pour satisfaire notre faim et notre soif. C'est pour cela que nous avons la nausée devant des choses qui nous ont déjà fait vomir. Nous les avions oubliées, mais notre cerveau avait tout enregistré pour nous le rappeler en temps et lieu. Un goût spécifique de «salé» vient nous dire que nous avons besoin de minéraux très variés, alors qu'un goût de sucré nous rappelle de rechercher de l'énergie dans notre alimentation. À vous de bien les interpréter et de bien y répondre. Sinon, vous n'êtes pas en accord avec les vérités de votre nature intellectuelle.

Le sens du **toucher** ne se limite pas à rechercher la texture, la température et la forme des choses. Malheureusement, nous ne l'avons pas toujours compris, surtout que ce sens est tellement intime et que la morale ou la culture l'ont prohibé quelquefois à outrance. Il aurait fallu que nous pensions aux enfants avant de penser aux intentions malveillantes des adultes. Le sens tactile, donné par la peau, remplit d'abord le rôle d'enregistrer au cerveau toutes les parties du corps. À partir de cet enregistrement, le cerveau peut puiser dans le répertoire de nos membres et décider lequel il devra actionner selon l'action qu'il cherche à exécuter. En plus, la peau sensorielle tonifie nos muscles sous-jacents et les rend fermes. Leur enregistrement aura lieu dans les zones de la motricité au cerveau. Nous pourrons alors être capables d'un acte volontaire. C'est le point d'impact utilisé par diverses thérapies comme le massage, l'acupuncture, les bains d'argile, les jets d'eau, etc.

Le sens tactile peut être reconditionné par la friction, les alternances de température, les bains de neige ou d'argile. Nos tissus redeviennent alors fermes et notre musculature redevient active, aidant ainsi le fonctionnement de nos organes internes, de notre posture et de notre démarche.

La peau est aussi le centre d'activité de la régulation de la température du corps. En effet, la sudation et la transpiration nous rafraîchissent pendant les grandes chaleurs, alors que le frisson nous réchauffe si nous avons froid. En plus, par la sudation, nous purifions nos tissus de certaines toxines. En sécrétant de l'huile, les glandes sébacées se substituent à la fonction biliaire si notre foie est «encrassé». C'est ce qui arrive chez ceux qui font de l'acné et du «chapeau». Chez un obèse, le sens tactile est presqu'endormi mais éveillable par brossage.

Il y a un autre sens que je n'ai pas mentionné, et c'est celui de la **cinesthésie.** Celui-ci nous permet de détecter la position de nos articulations pendant le mouvement qui provoque des frictions à nos jointures et des tensions à nos tendons et ligaments. Il nous permet de ne pas perdre pied. Durant l'état d'ébriété, chez ceux qui prennent des calmants, de l'alcool, des tranquillisants et des somnifères, il y a perte partielle de ce sens, tout comme dans les carences en vitamines B, et chez ceux qui perdent de la myéline, comme dans le cas de la sclérose en plaques.

Comme vous pouvez le constater, nos sens nous servent bien pour décoder la Nature dans laquelle nous vivons. Ils ne servent pas seulement à apprendre quelques notions en classe. À chaque instant, ils sont là pour nous aider à appréhender l'environnement.

LES SENS AFFECTIFS ET SPIRITUELS

Vous pensez peut-être que nous avons énuméré tous les sens ? Et bien, non ! Il y en a bien d'autres encore: le **sens de soi** et le **sens des autres**; le sens de **l'harmonie** et de la **réconciliation**; le **bon sens** que nous pourrions appeler le **bon jugement** et qui est l'association d'au moins trois sens avant l'émission d'une réflexion. Ces sens sont le résultat d'associations sensorielles.

Il y a les **sens affectifs** qui guident nos relations avec les autres et il y a le sens de la **prière** qui guide nos relations avec une Valeur Absolue, le Maître réel de la Création qui, ne l'oubliez pas, nous a laissés dans la pleine liberté cette vigueur dans la nature. Et le résultat de tous les sens, c'est l'Amour.

Toute cette liste pourrait s'allonger encore, mais ce sont les principaux sens qui vont nous aider sur le chemin de la Santé, par les instructions de notre Maître, la Nature.

CHAPITRE 2
COMMENT LA NATURE NOUS SERT

Le premier chapitre a présenté les instruments qui nous mettent en relation avec les éléments de la Nature. Ces instruments, nous l'avons compris, ce sont les sens. Rappelez-vous toujours que si nous avons des sens, ceux-ci ont à leur tour des moteurs, c'est-à-dire des muscles qui leur donnent du mouvement ou de la mobilité. Pourquoi est-ce important ? Tout simplement parce que, si nos muscles sont responsables de la motricité et qu'ils n'accomplissent pas leur tâche, ils ne peuvent pas nous donner autant de renseignements. En bougeant, ils scrutent les détails de la Nature. L'être humain, par certaines de ses inventions, a réussi à percevoir l'infiniment grand (grâce au télescope) et aussi l'infiniment petit (grâce au microscope électronique). Toutes les machines sont des extensions de ses instruments moteurs, des membres de ses sens, de ses organes et même de son cerveau. **Mais l'Être humain est là en premier, tout comme l'Absolu précède l'humain.**

Voyons maintenant comment la Nature nous sert, parce qu'elle a toujours la préoccupation de bien nous servir, même si nous nous en servons mal. La majorité des éléments de la Nature sont venus avant nous. Pour faire une histoire courte, disons qu'il y a eu d'abord le chaos: absence de lumière, de chaleur, pas de terre ni d'eau. Puis, le Créateur a soufflé sur ce chaos premier et y a introduit le mouvement, ce qui a tout changé. Les sphères (grosses et petites planètes et nébuleuses) sont apparues. Puis les nébuleuses ont bombardé les grosses sphères pour les enflammer et en faire des étoiles, des soleils si vous préférez. Ces soleils ont animé la géologie des sols qui ont formé des chaînes d'éléments. Puis sont apparus des filaments chromosomiques, des virus, des bactéries, des levures, des plantes, des animaux aquatiques, des animaux amphibies, des animaux terrestres et ailés et, finalement, des créatures terriennes puis humaines. De temps en temps, quelques nouveaux virus viennent déranger notre quiétude, mais les plus grands emmerdeurs sont encore les déchets de la chimie des laboratoires humains. Les laboratoires de la Nature changent l'environnement, mais ne le détruisent pas; ces changements s'opèrent harmonieusement. **C'est là la force supérieure de la Nature.**

L'ARBRE

La Nature nous sert, mais pour mieux le comprendre, voyons comment elle sert l'arbre. Les enfants ne décodent-ils pas cette même nature par le dessin d'un arbre, d'abord et avant tout ? Faisons comme eux.

L'arbre tout entier est emmagasiné dans ce gland ou cette semence que nous jetons en terre. Il n'exploite pas la Nature encore, il ne s'en sert pas. Petit à petit, la froidure humide de l'hiver gonfle son empaquetage d'énergie (l'amande), l'enveloppe éclate et le processus d'activation des gènes commence. De cette amande sortent une racine maîtresse et une tige qui deviendra le tronc et les branches. Puis d'autres petites racines périphériques plongent dans le sol et le tronc grandit et grandit encore, étendant ses branches au soleil. Ses feuilles captent l'essence carbonique de l'air sous forme de sucs et l'énergie solaire est transportée vers les racines. Ceci procure une réserve d'énergie pour que les racines puissent repuiser du sol les minéraux et, avec l'eau, redonner une sève nourricière au printemps suivant. C'est ainsi qu'à travers des milliers de cycles la maturité s'acquiert. Organisant la nutrition du sol avec l'énergie solaire, notre petit arbre devient un grand chêne. Si son terrain est favorable, il donnera de nouvelles semences qui germeront à leur tour, sinon il deviendra stérile par manque de force. À quoi serviraient les semences si le sol est trop pauvre pour lui ?

Si le sol nourricier s'appauvrit encore davantage, nous verrons apparaître sur son écorce des blessures qui ne se guériront plus; ses feuilles seront jaunes même en été, ses branches s'assécheront. Nous pourrons même observer à la coupe que son cœur était creux. Telles sont la vie d'un arbre et sa façon de se servir de la Nature. Il en va de même de toutes les espèces vivantes, qu'elles soient minuscules ou géantes, végétales ou animales, angéliques ou humaines. Il faut un terrain favorable pour que la petite capsule de vie, formée durant les premiers temps de notre planète Terre, puisse éclore et s'épanouir ensuite dans un environnement favorable.

Il en est de même pour nous humains. L'avons-nous oublié ? Je crois et je suis certain que oui. On n'a qu'à regarder les anomalies génétiques de certaines progénitures, les malformations congénitales et les transformations génétiques évolutives que nous appelons les cancers. On n'a qu'à penser à ce refus de donner la vie parce qu'elle nous semble insuffisante pour soi, à ces fœticides, à la stérilité qui s'accroît, à l'augmentation de cas de développement incomplet (prématurité). Les hommes ne se rendent plus à la maturité d'un homme et les femmes ne peuvent compléter leur être de femme. Certains enfants ne sourient plus et même désespèrent. Si vous comprenez ce que tout cela veut dire, vous prierez Dieu pour que les êtres humains comprennent, enfin, qu'ils ne sont pas les maîtres de la Création, mais qu'ils sont créatures parmi les créatures.

L'ÊTRE HUMAIN

Comment la Nature sert-elle l'être humain ? Vous comprenez maintenant comment elle sert les arbres. Elle leur apporte, dans un terrain favorable, les éléments minéraux du sol qui, transformés par les bactéries de ce même sol et dilués par l'eau, permettront aux cellules de l'arbre de trouver ce qui leur convient pour croître, prendre de la maturité et de l'énergie avec les saisons, se reproduire en cicatrisant leurs plaies et enfin donner une nouvelle semence afin de perpétuer l'espèce. La Nature nourrit l'arbre grâce à un milieu qui favorise sa croissance.

Quand Louis Pasteur a découvert comment se développaient les bactéries, causes de bien des maladies, il avait compris que c'est le milieu de vie particulier d'un animal et d'une plante qui leur permet de croître. La génération spontanée n'existe pas, sauf pour le Créateur. Mais si nous plaçons un chapeau de paille à côté d'un morceau de fromage, nous créons un milieu ou un environnement favorable à la souris qui s'amène et y établit sa progéniture. De même, si nous développons de grands égoûts, comme c'est le cas dans nos villes, nous créons un milieu malsain pour nous, mais très apprécié pour les rats. Les autochtones ne cultivaient pas les rats comme les blancs le font, et c'est pour cela qu'ils n'ont pas connu les épidémies de peste comme ce fut le cas pour les parisiens ou les californiens.

Avant tout, la Nature nous sert nos nutriments. Elle nourrit nos cellules qui possèdent en elles le pouvoir d'utiliser ces nutriments sans qu'il y ait nécessité d'une intervention intelligente et volontaire de l'être humain. Celui-ci se distingue du reste de la Nature parce qu'il peut prendre conscience de ce qu'il lui faut pour être bien nourri. Mais l'être humain détruit aussi la vitalité des terrains alimentaires nutritifs et il en est puni parce qu'il refuse de reconnaître qu'il n'est pas le maître de la création. C'est un mal d'orgueil que les dominants ont depuis toujours. L'être humain est une créature, comme l'arbre, mais il peut en plus développer sa conscience et reconnaître le vrai Maître de la Nature. Mais ce n'est pas chose faite. Vous qui lisez ces lignes, acceptez tout de suite cette vérité et vous verrez qu'avec le temps, vous serez en bien meilleure main avec Lui que seul avec vos semblables.

La Nature nous sert donc en nous fournissant les minéraux et l'eau du souterrain nourricier et en nous offrant l'azote créé par l'action symbiotique des plantes et des bactéries.

Cet azote est la base de nos **protéines** (le mot protéine signifiant «premier aliment»), ces constituants matériels de la matière vivante. Il forme la structure de tous les tissus: nerveux, musculaires, osseux, glandulaires, organiques, globulaires, etc. Les **carbones hydratés** et les **acides gras** ou huileux forment l'énergie et la souplesse des parois de nos cellules, tout comme ils forment les essences et les parfums des plantes. Certaines de ces substances azotées, huileuses et carbohydratées se nomment des **vitamines**. Ces simples matériaux sont donnés par le sol et les plantes qui y croissent. Les vitamines vont permettre aux cellules de former toutes les autres substances à l'intérieur de nous: les enzymes, les hormones, les médiateurs, les anticorps, etc. Et les cellules savent, en communiquant entre elles, comment nous conserver une bonne centaine d'années... assez longtemps pour que nous ayons le temps de faire nos bêtises, assez longtemps pour que nous ayons le temps de nous croire les maîtres de la création, assez longtemps pour que nous revenions à de meilleurs sentiments. Elle est patiente, elle est forte, la Nature. Elle ne veut pas, par orgueil, être le Maître de quoi que ce soit; elle est heureuse quand nous reconnaissons son Créateur et que nous l'utilisons pour tout retourner librement et volontairement à Celui-ci.

Une fois qu'on a compris l'importance d'un bon terrain, il nous faut ensuite partir à sa recherche, le trouver et commencer à y faire pousser ce qui nous nourrira. Il faut aussi courir les champs et les forêts pour compléter ce qui y manque. Si vous pensez que c'est l'asphalte qui vous donnera tout cela, vous méritez les maux qui vous font souffrir et qui vous rendront encore plus éveillés aux leçons de ce grand Maître qu'est la Nature.

C'est pour cela que je bénis le ciel d'être le fils d'un homme de la terre et d'une mère qui a supporté les rigueurs de la vie à la campagne. Je leur dois bien ma vigueur. **C'est important d'apprendre aux enfants ce premier métier qu'est l'agriculture, le travail de la terre et la récolte de ses fruits.** Leur santé en dépend, comme la vôtre. Et la santé leur donnera le temps et l'énergie pour sentir, connaître et être reconnaissants. Nous aurons tous à retourner à la terre, plutôt vivants que morts, je l'espère.

Comme elle le donne à l'arbre, la terre nous donne aussi l'air avec son carbone, son oxygène et son azote. **L'oxygène** brûle les déchets de notre économie biologique; **le gaz carbonique** stimule nos structures nerveuses et **l'azote** évite l'affaissement de nos structures articulaires et pulmonaires ou alvéolaires. La terre ne fuit pas le soleil, son astre lumineux; elle sait que pour nous la lumière importe. Elle nous en soustrait durant sa rotation pour nous permettre le repos, c'est tout. Vous reposez-vous ?

Enfin, la terre nous sert son **eau**. Elle l'a d'abord désacidifiée par le gel au début de la création; aujourd'hui, par ce même gel et par l'évaporation, elle la désale pour nous. Elle l'a aussi emmagasinée dans des glaciers pour faire face à nos imprévoyances. Cette eau aide à faire circuler notre sève sanguine dans tous les tissus et à toutes les cellules. Elle véhicule les substances nutritives que nos intestins et notre foie ont transformées; elle lave nos tissus qu'elle garde souples et rejette les déchets par nos reins et notre sueur; elle mouille nos yeux pour les garder actifs; elle ravive les peaux fanées; elle lie la farine à la levure et fait lever la pâte. L'eau est comme l'amour.

Comment ne pas avoir plus de respect pour la terre quand nous comprenons tout cela. L'autochtone sait tout cela, tout comme le vrai cultivateur et les gens en santé. Vous qui souffrez, revenez à la terre; nous vous y attendons avec notre Maître la Nature.

La Nature nous offre les moyens de croître, de survivre et de nous développer pour réaliser nos aspirations. Tout cela nous est permis par les aliments de son sol, par la lumière de son soleil, par l'air oxygéné de son atmosphère. Elle nous offre plus que la satisfaction de nos besoins organiques. Ses plans physiques, comme la plaine, la montagne, le vent, les variations de température et de climat, peuvent raffermir nos tissus, donner de la vigueur et de la vitalité à notre action. En plus, elle nous fournit des images mentales pour faire grandir nos aspirations et nos désirs. La source devient le symbole de notre vitalité, la montagne celui de nos efforts, la plaine celui de notre vision et de nos horizons, les étoiles le symbole de cet idéalisme qui nous guide sur la route de notre réalisation. Il n'y a pas de limite à ce que la Nature nous donne. Pensez seulement aux plantes, aux fleurs et vous entrerez dans le rêve de la grandeur du Maître de ce Grand Oeuvre. Pensez aux parfums, aux couleurs, aux milliers de mélodies, de chants et de bruits et votre émerveillement ne pourra qu'animer votre visage à l'éclat de celui d'un enfant. Et votre cœur chantera par votre voix la vibration de votre âme.

Oui ! La Nature possède toutes les ressources pour nous servir et il n'est pas essentiel que les humains en inventent de nouvelles. Lorsqu'ils le font, ils devraient respecter la vitalité de ce qu'ils extraient de la Nature. Sinon, ils seront des semeurs de morts et le don de la mort ne peut que générer le malaise, la maladie et la souffrance chez les autres. Les inventions des êtres humains peuvent vite devenir les béquilles de leurs faiblesses.

Il ne nous reste donc qu'à évaluer notre vitalité ou notre dynamique de santé pour comprendre comment nous avons pu inconsciemment nous éloigner des ressources de la Nature. C'est ce que nous entreprendrons ensemble dans le prochain chapitre. **Pour rétablir notre harmonie avec le Grand Maître et retrouver notre santé, il faudra réapprendre à introduire les éléments vivants du sol, la pureté de l'air et de l'eau et la variété et la vivacité des éléments. Il faudra aussi retrouver la lumière du soleil, l'effort physique des grands espaces et la tranquillité et le calme d'une bonne nuit de repos à tous les jours.** C'est un bien petit programme, la santé, si on le compare avec les milliers de choses complexes qu'on fait aujourd'hui pour arrêter la mort, la souffrance et les maladies.

Il nous faut reprendre contact avec la terre à tous les jours, si nous voulons qu'elle nous transmette sa vitalité. Maintenant, vous comprenez pourquoi les petits enfants mangent de la terre à pleines mains à tous les printemps. Ils recherchent les minéraux vivants du sol, ceux que leur assiette n'a pu leur offrir durant l'hiver. Nous devrions être gênés de la cupidité des humains qui font commerce de nourriture frelatée en vue d'un profit matériel. Ils ont oublié ce qu'était la Vie, le Partage.

UN PREMIER BILAN DE SANTÉ

Posons-nous maintenant la question suivante. Où en sommes-nous avec notre vigueur et notre santé ? C'est la question à laquelle votre médecin cherche à répondre à chaque fois que vous le voyez. Il commence alors par essayer de trouver tout ce qui va et tout ce qui ne va pas. Mais ici, vous êtes votre propre médecin et, si vous voulez vous prendre en main comme le Maître Nature le demande, il faudra vous habituer à penser comme cela au fur et à mesure que vous avancerez dans ce livre. La Nature n'a pas pensé faire un cours de médecine à certains arbres pour qu'ils soignent les autres. Pourquoi ne pourrions-nous pas faire de même en nous servant de la Nature comme guide ? Votre médecin serait bien content de ne pas porter seul le fardeau de votre santé ou de vos malaises.

C'est un vrai «check up» de votre machine corporelle que vous allez maintenant faire. Je devine que vous voulez retrouver la santé et une vigueur renouvelée. Alors prenez un crayon et encerclez les chiffres dans le questionnaire qui suit. Quand vous aurez complété la lecture de ce livre, vous comprendrez comment changer votre nutrition afin que vos racines digestives puisent des éléments vivants dans votre régime. Vous saurez aussi mieux complémenter ce régime si vous êtes contraint de vivre loin d'une terre protégée et saine, n'ayant pas connue la souillure de l'homme «blanchimiste».

QUESTIONNAIRE - BILAN DE SANTÉ

1. Est-ce que vos parents sont vivants ?
   1) Les deux sont vivants ou ma mère est vivante
   2) Mon père est vivant
   3) Les deux sont décédés

2. Est-ce qu'il y a quelqu'un de votre famille qui souffre ou a souffert d'hypertension, de diabète, ou de malaises cardiaques ?
   1) Non, personne d'autre que mes grands-parents
   2) Oui, un de mes parents
   3) Oui, mes parents et des frères ou sœurs

3. Est-ce qu'il y a quelqu'un de votre famille qui a ou a eu un cancer ?
   1) Non, sauf mes grands-parents
   2) Oui, un de mes parents ou les deux
   3) Oui, dans le reste de ma famille (frères ou sœurs)

4. Est-ce qu'il y a des membres de votre famille (parents, enfants, conjoint) qui souffrent d'allergies ?

   1) Non, pas que je sache
   2) Oui, à un ou deux agents
   3) Oui, à plus de deux agents

5. Avez-vous déjà été hospitalisé ?

   1) Non
   2) Oui, il y a plus d'un an, pour une naissance ou pour un problème mineur.
   3) Oui, plus d'une fois, et pour une chirurgie majeure.

6. Comment ça se passe à votre travail ?

   1) J'aime bien mon travail
   2) J'ai de petits problèmes à mon travail
   3) Je n'aime pas mon travail, je ne travaille pas, ou j'ai de gros problèmes à mon travail

7. Avez-vous un (e) ami (e) intime à qui vous pouvez vous confier ?

   1) Oui, mon conjoint
   2) Oui, une autre personne
   3) Il n'y a personne

8. Prenez-vous le temps de profiter de la vie, d'avoir des loisirs, des amis ?

   1) Oui, je me plais dans un rythme de vie équilibré
   2) Mon temps est surtout consacré à la famille
   3) Je ne me rappelle pas avoir eu du plaisir

9. Comment est votre santé en général ?

   1) Excellente, je suis satisfait
   2) Comme çi, comme ça
   3) Je manque vraiment de vigueur

10. Avez-vous un programme d'activité physique (marche rapide ou autre) ?
    1) Oui, deux fois par semaine
    2) Moins d'une fois par semaine
    3) Non, seulement une petite marche, sans effort, à l'occasion
11. Comment vous décrivez-vous ?
    1) Calme et généralement souriant
    2) Je m'efforce de garder mon calme
    3) J'ai mauvais caractère, je suis stressé et ne sourit jamais
12. Que voyez-vous dans votre miroir ?
    1) Quelqu'un de bien pour son âge
    2) Je m'efforce de me trouver bien
    3) J'aurais besoin d'une retouche
13. Comment est votre vigueur généralement ?
    1) Je me sens débordant d'énergie
    2) J'ai des hauts et des bas
    3) Je me sens las, je me lève fatigué
14. Combien de médicaments prescrits prenez-vous ?
    1) Aucun
    2) Un ou deux dans la dernière année
    3) Quatre et plus dans la dernière année
15. Comment est votre poids ?
    1) Proportionnel à ma grandeur
    2) J'ai 10 à 15 livres en trop
    3) Je suis obèse, j'ai plus de 20 livres en trop
16. Comment sont vos habitudes de sommeil ?
    1) Je dors 6 à 8 heures par nuit et j'ai un sommeil reposant
    2) Je dors moins de 6 heures par nuit, mais je récupère
    3) Je dors mal

17. Prenez-vous trois repas par jour ?

    1) Oui, généralement chez moi
    2) Je saute un ou deux repas, je mange en dehors du foyer
    3) Je mange très irrégulièrement

18. Souffrez-vous de ballonnements, de brûlures à l'estomac ou d'indigestions ?

    1) Non, ou rarement
    2) Oui, occasionnellement
    3) Oui, assez régulièrement

19. Avez-vous de la diarrhée, de la constipation, des ulcères ?

    1) Non, ou rarement
    2) Oui, occasionnellement, quand je mange mal
    3) Oui, fréquemment, je dois surveiller ce que je mange

20. Avez-vous des problèmes respiratoires, de l'essoufflement ?

    1) Non
    2) Oui, occasionnellement
    3) Oui, régulièrement

21. Toussez-vous le matin ?

    1) Non
    2) Oui, quelquefois
    3) Régulièrement

22. Attrapez-vous des rhumes ou la grippe ?

    1) Rarement
    2) Deux ou trois fois par an
    3) Plus de quatre fois par an

23. En combien de temps vous sortez-vous d'un état maladif comme le rhume ou la grippe ?

    1) En trois ou quatre jours
    2) En une semaine
    3) En plus d'une semaine

24. Souffrez-vous d'allergies causées par l'environnement ?

    1) Non
    2) Oui, à un ou deux éléments de l'environnement
    3) C'est un problème constant

25. Souffrez-vous d'allergies alimentaires ?

    1) Non
    2) Oui, à un ou deux aliments ou breuvages
    3) Oui, à plus de trois aliments ou breuvages

26. Fumez-vous ou prenez-vous de l'alcool ?

    1) Pas du tout ou très modérément
    2) Oui, occasionnellement
    3) Régulièrement

27. Comment est votre peau ?

    1) J'ai la peau douce, souple, non irritée
    2) J'ai la peau sèche et desquamée
    3) J'ai des problèmes de peau: dermite, eczéma, psoriasis ou autres

28. Comment trouvez-vous vos cheveux ?

    1) Je suis satisfait
    2) Ça pourrait être mieux
    3) Je les trouve assez détériorés

29. Est-ce que votre peau cicatrise bien, avez-vous des vergetures ?

    1) Très bien en six ou sept jours.
    2) Guérit lentement.
    3) Cicatrice très grosse et lente à se faire.

30. Avez-vous une bonne vue ?
    1) Je vois bien sans verres correcteurs de près et de loin
    2) Je porte des verres correcteurs ou des lentilles cornéennes
    3) J'ai une maladie des yeux: glaucome, cataractes, infections, etc.

31. Entendez-vous bien ?
    1) Oui
    2) J'ai un peu de difficulté à entendre
    3) J'ai de la surdité, des bourdonnements, du vertige

32. Avez-vous des problèmes de marche, d'équilibre ou de coordination ?
    1) Non
    2) Oui de temps en temps; j'use mal mes chaussures
    3) J'ai nettement de la difficulté à ce niveau

33. Avez-vous des maux de tête ?
    1) Très rarement
    2) Souvent, mais ils disparaissent vite
    3) Très forts, assez pour prendre des médicaments

34. Avez-vous des crampes dans les bras ou les jambes ?
    1) Très rarement ou jamais
    2) Quelquefois, en dormant ou en m'exerçant
    3) Très souvent en dormant ou en m'exerçant

35. Avez-vous des douleurs articulaires ?
    1) Non
    2) Quelquefois, avec des raideurs
    3) Mes mouvements sont limités et affaiblis

36. Faites-vous des bleus facilement ?
    1) Non
    2) Oui, mais sans complication
    3) Oui au moindre choc

37. Avez-vous des engourdissements, des picottements aux extrémités des orteils ou des doigts et les mains froides ?

    1) Non
    2) Rarement
    3) Assez souvent

38. Vous êtes-vous déjà fait des fractures ?

    1) Non
    2) Oui, il y a plus d'un an
    3) Oui, il y a moins d'un an

39. Quand avez-vous fait le dernier exercice forçant ?

    1) Il y a moins de cinq jours
    2) Il y a plus d'un mois
    3) Il y a plus d'un an

40. Prenez-vous des compléments alimentaires (vitamines et minéraux multiples) ?

    1) Régulièrement
    2) À l'occasion
    3) Je ne connais pas

CORRIGÉ DU QUESTIONNAIRE

Maintenant, additionnez les chiffres qui précédaient vos réponses afin d'obtenir le total.

- Si vous avez 45 points et moins

  Vous êtes possiblement en bonne forme, et en lisant ce livre vous en apprendrez encore davantage pour maintenir votre santé.

- Si vous avez entre 45 et 85 points

  Votre santé est assez bonne, mais elle pourrait être meilleure. Je vous encourage à continuer à lire pour apprendre comment apporter les correctifs appropriés.

- Si vous avez 86 points et plus

  Des changements importants dans vos habitudes de vie sont nécessaires. La lecture de ce livre vous sera bénéfique. J'espère que vous trouverez le courage de continuer à lire, l'énergie de modifier progressivement vos habitudes alimentaires et que vous recourrez à une complémentation rigoureuse. (Voir le chapitre 16 «Personnalisez votre complémentation».)

Vous pourrez refaire ce questionnaire à des intervalles de 3 à 6 mois pour vous aider à constater les bons changements qui s'opéreront en vous, en vous connaissant mieux dans votre nature. Rapprochez-vous de la terre, n'attendez pas qu'on vous y porte. Vous verrez et sentirez combien l'énergie vivante des aliments et des nutriments peut vous aider à redresser la tête et l'échine. Et grâce à un simple programme quotidien d'exercices (bicyclette sur place, natation, marche, Technique Nadeau, etc.), vous raviverez votre circulation.

CHAPITRE 3

QUE FAISONS-NOUS AVEC LA NATURE ?

Vous avez fait votre bilan ? Vous avez peut-être une petite idée du pourquoi de chacune des questions ? Elles n'ont pas été posées au hasard. Chacune mesurait un paramètre de vos organes, de vos systèmes, de votre fonctionnement biologique. Il y a moins de secrets dans le corps humain qu'il y en avait il y a un siècle pour ceux qui ont étudié le domaine de la biologie. Mais la majorité des gens sont un peu comme ces nouveaux automobilistes qui connaissent un peu plus leur véhicule quand un mécanicien leur dit qu'il a manqué d'huile ou que les freins sont usés. Pourquoi attendre l'accident pour comprendre ?

UN PETIT EXERCICE D'APPRENTISSAGE

Nous allons faire ensemble un petit exercice d'apprentissage avec un ordre logique pour vous aider à intégrer des notions qui vous aideront grandement.

LA CELLULE

Le corps humain est composé de 40 à 100 milliards de cellules, ayant à peu près la forme de petits œufs minuscules (voir schéma 3). Chacune d'elles a une enveloppe perméable contenant un liquide (cytoplasme) un peu visqueux qui renferme des petites tubulures et de petites structures circulaires très actives pour aider au fonctionnement des cellules. Au centre, se trouve le noyau qui contient les opérateurs filamenteux (chromosomes). Sur ces filaments on remarque des points avec des structures vivantes, les gènes. De là vient le mot génétique. Ces gènes transportent l'hérédité. Ils sont faits de protéines nucléaires complexes afin d'agir comme matrice des caractéristiques spécifiques à une espèce et à chacun des individus de l'espèce. Ils donnent les codes pour chacun des enzymes (substances comparables à de la levure) et chacune des protéines (grosses molécules structurant les tissus).

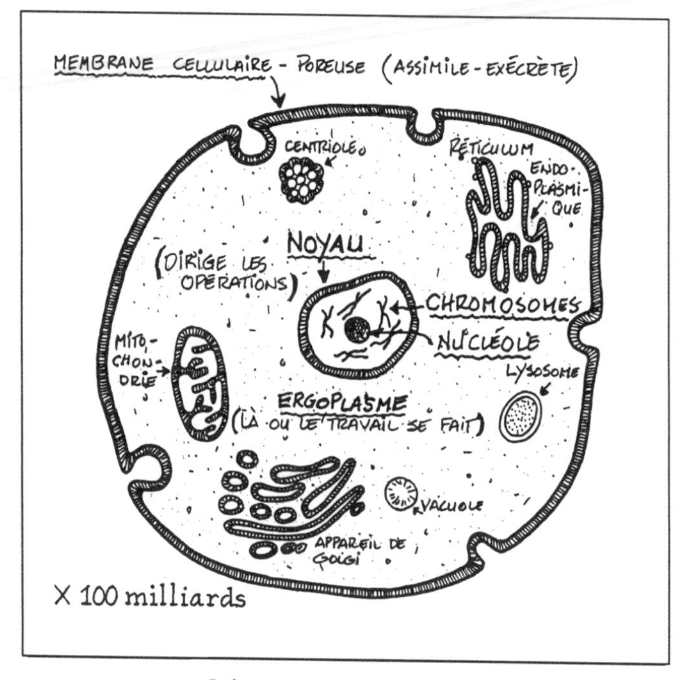

Schéma 3 – LA CELLULE

Essayez de vous imaginer mentalement que nous partons de deux demi-cellules (7 millièmes de millimètre) pour grandir jusqu'à 40 à 100 milliards de cellules, c'est-à-dire que nous passons quasiment de zéro à 120-180 livres de matières intelligemment agglomérées à partir des aliments qui nous nourrissent et qui sont transformés par notre intestin et notre foie, puis circulés par nos vaisseaux sanguins, pompés par le cœur jusqu'à chacune des cellules qui se multipliera pour former un être humain. Et ce n'est pas tout. Pensez que chacune de ces cellules ne vit pas 100 ans, mais de quelques heures à quelques années. Ce qui veut dire que nous devons manger pour les nourrir continuellement afin de maintenir leur nombre, leur permettre de se reproduire et de maintenir leurs fonctions.

Les cellules que l'on nomme **globules blancs**, qui nous défendent des envahisseurs viraux et microbiens, ne vivent que quelques heures, quelques secondes même. C'est pour cela que, mal nourris, nous nous infectons si facilement. Nous perdons ces soldats.

Les **cellules épithéliales**, celles qui forment notre peau, les muqueuses de nos bronches et de tout notre tube digestif, ne vivent que quatre à sept jours. C'est pour cette même raison que, mal nourris, nous pouvons avoir des ulcérations et des troubles au niveau des bronches, des poumons, des sinus et des problèmes de digestion et d'assimilation des aliments et des nutriments. Si notre respiration est inefficace, nous ne pouvons plus puiser les substances qui enrichissent la circulation sanguine et toutes les autres cellules en souffrent. C'est à ce moment qu'on perd du poids et de la vigueur, qu'on devient asthénique, anémique, amaigri et décharné. À la moindre malnutrition, la cicatrisation de la peau se fait mal, la peau perd de son élasticité et des vergetures apparaissent, les cicatrices deviennent épaisses ou kéloïdiennes.

Les **cellules des diverses glandes** vivent de sept à trente jours et, si le matériel nutritif leur manque, elles ne peuvent se reformer et nous perdons d'importantes cellules ouvrières. Nos glandes diminuent alors de volume et nous perdons leurs hormones qui servent à diriger la fonction de toutes les autres cellules. L'organisme devient fou et fonctionne bizarrement. Nous voyons cela dans l'hypoglycémie, le diabète, l'hypothyroïdie et l'hyperthyroïdie, l'insuffisance ovarienne, l'insuffisance surrénalienne, la stérilité, l'acné, les inflammations du foie, etc.

Les **cellules du système lymphatique**, responsables de la production des protéines nommées anticorps, vivent une trentaine de jours. Sans une attention à bien se nourrir, elles ne peuvent se renouveler et notre état de résistance ou d'adaptation au milieu extérieur s'affaiblit et nous nous infectons. Quelquefois même, ces cellules peuvent se mettre à tourner leur machinerie d'anticorps contre nous et nous développons des maladies telles que la sclérodermie, la dermatomyosite, la thyroïdite, l'arthrite rhumatoïde, le lupus érythémateux et bien d'autres encore comme le myélome multiple. Et je ne parle même pas des conséquences indirectes d'une mauvaise résistance, laquelle entraîne toutes les infections possibles et un envahissement des virus qui viennent parasiter nos cellules comme dans la leucémie, les encéphalites, les hépatites, le sida, etc.

Les cellules que l'on nomme **globules rouges**, responsables du transport de l'oxygène aux tissus, vivent cent vingt jours et sont formées par la moëlle des os. En manque nutritionnel, ces cellules ne peuvent plus se multiplier et c'est l'anémie. Nous manquons de cellules transporteuses d'oxygène, nous fatiguons vite, nous nous essoufflons, nous pâlissons et les autres tissus, qui attendent cet oxygène pour brûler leurs déchets en carbone, s'encrassent, étouffent et meurent plus vite.

Les **cellules musculaires** sont celles qui donnent l'action à nos membres, à notre tronc et à nos extrémités. Elles sont de forme allongée et, sous l'action électrique du système nerveux, elles se contractent ou relaxent. Il y a les **fibres musculaires rouges**, ces cellules des muscles rattachés aux os et le muscle cardiaque. Il y a aussi les **fibres musculaires blanches** ou lisses qui favorisent l'action des bronches, du tube digestif, des vaisseaux sanguins et de l'utérus. Mais les cellules musculaires font plus qu'actionner les membres ou les organes. Lors de la contraction, elles chassent le sang bleu et usé vers le cœur et les poumons. Pendant la relaxation, les muscles se remplissent de sang oxygéné pour être plus efficaces. Ils font comme un mouvement de succion qui assiste le pompage du coeur. Cette action de relaxation permet de fonctionner avec une pression sanguine de 120/70. Quand nos muscles sont tendus ou que nous sommes sous tension, la pression artérielle peut monter. L'action des muscles permet une meilleure irrigation des organes et du cerveau, de sorte que les sédentaires privent leur cerveau d'oxygène.

La durée de vie d'une cellule musculaire semble de six mois, après quoi elle doit se diviser pour pouvoir renouveler son action. C'est pour cela qu'il faut des protéines musculaires: la myoglobine, l'actine et la myosine. Le muscle a besoin de réchauffement pour se raffermir et se conditionner, comme il a besoin d'effort pour se renforcer. Sans cela, la posture devient faussée; le thorax ne peut pas se gonfler et réoxygéner le sang par les poumons; le ventre devient mou et la digestion lente; les déchets du gros intestin ne s'éliminent pas bien et nous assistons à la dégradation de l'organisme et du système nerveux. C'est le «burn out». De là vient cette phrase: enlève le travail à un homme si tu veux le faire mourir.

Les **cellules du système osseux** ont une durée de vie de six à douze mois. Ces cellules, par leur nutrition et leur métabolisme, forment la matrice fibreuse (osséine) sur laquelle se fixent le calcium, le magnésium, le fluor et le phosphore sous l'action des vitamines A, C et D. Les os ont besoin de la contraction musculaire et de la gravité terrestre pour conserver leur état solide d'ossification et les cellules osseuses ont besoin d'activité et d'exercice pour ne pas perdre leur calcium. En carence de vitamine C, le scorbut, qui affecte la fibre osséine de l'os, peut faire son apparition; en carence de vitamine D, c'est le rachitisme et l'ostéomalacie. En manque d'activité et de certains nutriments, l'ostéoporose se développe. Une inflammation ou infection de l'os se nomme ostéomyélite. Toutes les articulations fonctionnent bien si le squelette est bien aligné.

Les **cellules cartilagineuses** (ou chondrocytes) sont celles qui forment la matière plastique qui recouvre les surfaces articulaires afin qu'elles glissent bien l'une sur l'autre. C'est le liquide synovial qui nourrit ces cellules, celui-là même qui s'accumule lorsque nous avons de l'eau dans les articulations (synovie). Une articulation doit bouger pour se nourrir et elle doit être étirée de temps à autre pour reposer les surfaces articulaires. Sinon, nous développons de la chondrodysplasie, de la chondromalacie ou de l'ostéochondrite. L'usure par malnutrition ou par exagération d'activité provoque de l'arthrose ou de l'arthrite. (Quand il y a de l'inflammation, on ajoute aux mots un «ite»). Ces cellules ont possiblement une durée de vie de six mois et doivent se renouveler par les matériaux apportés par la circulation et la nutrition.

D'autres cellules très polymorphes servent à unir et retenir ensemble les tissus: ce sont les **cellules conjonctives**. Elles produisent, à partir des protéines et des acides aminés de notre nutrition, trois sortes de protéines tissulaires: le collagène, l'élastine et la réticuline. En plus des protéines, les vitamines et les minéraux jouent un rôle dans les tissus conjonctifs et de soutien. Les défaillances ou les maladies par carence alimentaire peuvent se manifester par des vergetures, des saignements faciles, des rides précoces, une inflammation facile des tendons et des ligaments des articulations et sans oublier la mauvaise cicatrisation, appelée un kéloïde, qui vous est probablement plus familière. Il existe enfin toute une classe de maladies qui se nomment les collagénoses et qui touchent le système du tissu conjonctif.

Enfin il y a les **cellules nerveuses**. Ces petites batteries sont à l'origine du courant qui active bien des mécanismes. Ces cellules ont peut-être la plus longue durée de vie et sont, dans un sens, les mieux protégées de nos malnutritions. Mais si elles sont trop négligées, ce sont aussi celles qui mettront le plus de temps à se regénérer.

Certaines cellules nerveuses produisent la myéline, une protéine recouvrant nos nerfs comme le ferait un isolant, permettant ainsi à l'onde électrique de se propager plus rapidement. La lécithine est une excellente source de myéline et elle est produite avec l'action des vitamines du complexe B, comme bien d'autres protéines. Lorsque nous manquons de minéraux comme le magnésium, le potassium ou encore le calcium, le courant électrique de nos cellules est altéré. La perte de myéline par malnutrition provoque la sclérose en plaques. Certaines infections peuvent aussi en faire perdre, comme c'est le cas avec plusieurs maladies dites démyélinisantes. D'autres intoxications du foie, qui ne peut plus alors faire la synthèse de certaines substances, vont occasionner les maladies de Parkinson et d'Alzheimer (attention à la toxicité de l'aluminium dans le cas de cette dernière maladie).

Je réserve une petite place aux **cellules du foie** qui ont une grande capacité de se regénérer. Et c'est heureux, comme c'est heureux que nous ayons la foi dans le domaine spirituel. Du foie, nous connaissons actuellement entre 600 et 1000 réactions de synthèse. Lorsqu'il reçoit les nutriments du tube digestif et ceux épargnés par la rate et les reins, il entre en synthèse d'une grande partie de nos protéines. Souvent, tout ce qu'on sait de lui, c'est qu'il produit la bile. La bile n'est qu'un moyen de nous purifier des hormones usées et des noyaux de cholestérol inactif sous la forme de sels biliaires. Le foie est en fait notre manufacture de produits finis pour l'organisme.

Tout ce que nous mangeons et assimilons passe par lui. Il est aussi un filtre et un désintoxicateur. Si nous en abusons par une mauvaise élimination, par la constipation, par l'alcool, par l'ingestion de produits chimiques, nous pouvons provoquer son inflammation (hépatite) et, à ce moment, c'est tout l'organisme qui dépérit.

Des cellules: voilà ce que nous bâtissons avec la Nature et ses aliments. Pourtant, nous mangeons des plantes ou des animaux qui ont mangé des plantes. Les plantes ne restent pas des plantes en nous parce que notre sang ne contient pas de fibre de plantes. Mais la science a mesuré ce qui nourrissait les cellules et le matériel qui leur permet de se renouveler au point de nous laisser espérer cent ans d'existence.

Nous verrons dans le prochain chapitre ces éléments essentiels qui fournissent à notre sang la sève qui fait grandir notre arbre en taille, en âge et en grâce.

CHAPITRE 4
QUE FONT NOS CELLULES ?

Vous connaissez mieux maintenant chacune de vos petites cellules. Vous ne le savez peut-être pas, mais vous pouvez parler à vos cellules et les encourager dans leur travail colossal. En leur parlant, vous apprendrez inconsciemment à respecter leurs besoins et elles vous rendront de grands services en temps opportun. Ne l'oubliez pas ! Elles contiennent la Force vitale et vous savez de Qui elles La tiennent.

À force de recherches et de découvertes, la science médicale actuelle a pu classifier ainsi les cellules et leurs agencements spéciaux. Je vais maintenant emprunter le modèle mathématique moderne pour mieux m'exprimer.

1. Il y a d'abord les différentes **cellules**, comme nous l'avons vu au chapitre précédent: cellules épithéliales (peau, muqueuses, glandes), musculaires, osseuses, conjonctives, nerveuses.

2. Plusieurs cellules ensemble vont former un **tissu**. De fait, il y a autant de sortes de tissus que de sortes de cellules.

3. Un ensemble de tissus forme un **organe ou un viscère**, tel le cerveau, le coeur, l'estomac, le foie, le pancréas, les reins, etc.

4. Un ensemble de viscères ou d'organes forme un **système**. Il y a par exemple les systèmes digestif, respiratoire, circulatoire, nerveux, etc.

   C'est ici que s'arrête la pensée médicale rattachée à la biologie humaine. Cela ne me satisfaisait pas parce que ces seuls concepts ne permettent pas d'entrevoir le développement, l'apprentissage, l'affectivité, le psychologique, l'esprit et ses forces. Alors, j'ai continué à penser et à réfléchir et, lentement et progressivement, ce modèle mathématique m'a entraîné vers d'autres ensembles: les **domaines.** Il me fallait une place pour l'Amour, la Paix et l'Harmonie dans la Biologie.

5. Un ensemble de systèmes forme donc un **domaine.** Il y en a cinq principaux: le **domaine organique** (systèmes respiratoire, digestif, circulatoire et épuratoire); le **domaine physique ou mécanique** (systèmes osseux et musculaire); le **domaine intellectuel** (systèmes nerveux central et autonome). La bonne harmonie ou l'ensemble de ces trois domaines forment le **domaine affectif** ou les liens qui les unissent. Et finalement, leur union vivante nous donne le **domaine psychique et spirituel**. Ces notions ont déjà été présentées ailleurs dans mon volume «L'Apprenti-Sage à l'écoute des enfants» (Éd. CAHAC, 1980). Je les reprends brièvement ici en vous rappelant que cette division à des fins de compréhension intellectuelle n'existe pas dans la réalité; ces domaines forment un tout inséparable (individu ou indivisibilité).

LES FONCTIONS DES CELLULES

Ce que je veux vous expliquer dans ce chapitre, ce sont les fonctions des cellules de façon générale, c'est-à-dire que ce que je dirai pour une cellule sera également vrai pour toutes les autres. Une cellule accomplit plusieurs fonctions. Pour mieux les comprendre, prenons l'exemple de l'arbre.

Quelles sont les fonctions d'un arbre ? Se nourrir par le travail de ses racines qui puisent dans le sol les minéraux et l'azote; respirer par ses feuilles; résister au vent; croître et laisser émerger des branches; produire des feuilles, des fleurs et des fruits. Voilà les fonctions de l'arbre en général. Avec cela, il survit, croît, produit et se multiplie.

De la même façon, la cellule aura les fonctions suivantes:

1. **Se nourrir et respirer** afin de se pourvoir des matériaux nécessaires pour produire ses sécrétions, croître, s'épurer, se multiplier et écouter le message des autres cellules.
2. **Sécréter** les enzymes, les hormones, les médiateurs chimiques, etc. qui transmettront leurs messages à toutes les autres cellules afin qu'elles se connaissent mutuellement. Nos cellules cherchent toujours l'harmonie.
3. **Recevoir** par nos pores et leurs récepteurs les messages des autres cellules afin qu'une cellule ne fasse pas des choses inutiles ou nuisibles à l'ensemble. Les cellules aiment l'harmonie, et l'harmonie, c'est la santé.
4. **Éliminer ses déchets**. Chacune des cellules, en produisant des matières actives ou des sécrétions, produit également des déchets qu'elle ne peut garder dans son cytoplasme sous peine d'empoisonnement. Elle va donc les éliminer et ainsi rester saine et

propre pour ne pas gêner les autres par sa putréfaction et son pourrissement. Notre cellule aime l'hygiène parce que la propreté, c'est un parfum pour les autres cellules. Et ce parfum, c'est le résultat de l'harmonie et de la santé.

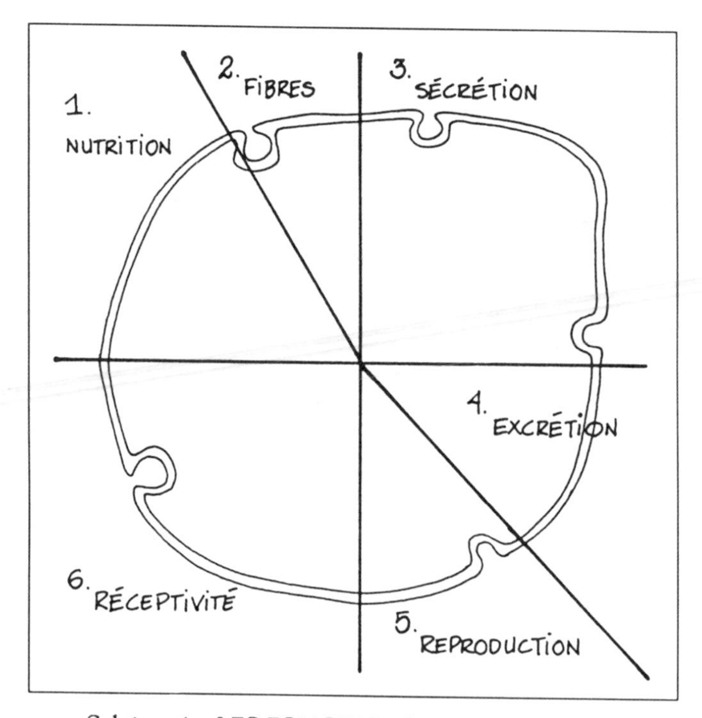

Schéma 4 – LES FONCTIONS D'UNE CELLULE

5. **Se reproduire**. Comme nous l'avons vu dans le chapitre précédent, la durée de vie de chacune de nos cellules n'est pas de cent ans, même si nous, en tant qu'organisme, nous pouvons vivre cent ans. La cellule se nourrit donc pour ramasser suffisamment d'énergie pour donner la vie à deux cellules filles qui continueront harmonieusement son travail. La cellule bien nourrie aime la vie, si bien qu'elle trans-

met son trop plein de vie. En elle, pas besoin de police, de docteur ni d'avorteur si nous lui apportons tous les matériaux nutritifs dont elle a besoin. La stérilité, les malformations génétiques des cellules viennent de la mauvaise alimentation, des poisons chimiques, de l'irradiation, qui la blessent et dérangent ses mécanismes.

Vous devenez des experts. Relisez bien les lignes précédentes: elles sont là pour que vous réalisiez la simplicité des règles de conduite pour être en santé. (Consultez le schéma des fonctions d'une ou plusieurs cellules à la page suivante.) Même si vous avez failli accidentellement à ces règles et que vous avez des malaises, c'est le seul chemin pour revenir à la santé optimale.

Si vous me demandez quelle est la fonction la plus importante, je serais tenté de vous répondre «Qu'en pensez-vous ?». Mais je reprendrai l'exemple de l'arbre. À quoi reconnaît-on qu'un arbre est en santé? À ses fruits, me direz-vous ? D'une certaine façon, vous avez raison, mais pas complètement puisqu'on juge de la qualité d'un fruit à la valeur de son sol nourricier. Si les agriculteurs comprenaient cela, certains nourriraient mieux leur sol. Alors, reconnaît-on la santé d'un arbre par le fait qu'il se reproduise ? Un arbre doit produire des fleurs et des fruits et sa pollinisation avec un arbre de son espèce lui permet cette reproduction. Mais là encore, il faut qu'il se soit bien nourri. Serait-ce la sécrétion des substances actives qui importe le plus alors ? Là aussi l'arbre a besoin d'un bon sol nourricier pour produire son matériel sécrétoire. L'excrétion, quant à elle, requiert des matériaux nutritifs dans lesquels un travail de transformation va se faire.

Mais qu'est-ce qui est le plus important alors pour l'arbre ? Qu'il attende des autres tout le matériel fini et apprêté ? Encore là, il faudrait que l'arbre ait des bras et des clous pour se clouer des branches, de la colle pour se coller des fleurs et de la peinture pour s'offrir ses couleurs.

Mais tout cela vient d'un exercice très simple: avoir du matériel nutritif et le transformer.

Ce qui est le plus important pour l'arbre et pour la cellule, c'est de retrouver dans leur nutrition tout ce qu'il leur faut. Tout !

Comment atteindrons-nous un sol nourricier complet ? En nous nourrissant d'aliments vivants, variés, sans poison chimique, ni préservatif, ni radiation, suivant nos dépenses dictées par notre faim, notre soif et le bon sens actif.

LES ÉLÉMENTS ESSENTIELS À LA VIE

Comment la science fait-elle vivre des cellules en laboratoire ? Comment la science médicale arrive-t-elle à nourrir quelqu'un qui ne peut le faire par son tube digestif ? Voici les petits éléments que la science croit essentiels à la préservation de la vie d'une cellule par la nutrition:

- eau;
- oxygène;
- 20 acides aminés;
- 3-4 acides gras;
- plusieurs sucres ou hydrates de carbone;
- vitamines;
- minéraux.

CHAPITRE 5
APPRENDRE À VOUS CONNAÎTRE

Nous avons tous un profil organique différent (respiratoire, digestif, circulatoire, épuratoire et immunologique). Nous sommes aussi différents physiquement (ossature et musculature), intellectuellement (visuels, cinétiques et auditifs) et affectivement (dans nos façons d'entrer en relation avec les autres). Mais nous pouvons avoir un esprit commun (l'Esprit d'Amour). Ces différences nous rendent uniques et notre mission terrestre diffère tout en étant complémentaire de celle des autres. En vous regardant comme être unique, vous apprendrez à devenir un bon diagnosticien comme en médecine. **Il est très difficile de généraliser les besoins de chacun. Nous devons rechercher un habit nutritionnel fait sur mesure.** En remplissant le questionnaire qui suit, vous dessinerez votre profil. Chacune des réponses que vous donnerez appelle une considération particulière sur votre régime alimentaire et sur la complémentation avec des micronutriments, considérations que nous élaborerons dans la deuxième partie du chapitre 16.

Faites maintenant l'inventaire de ce qui peut influencer votre échelle nutritive et votre complémentation et voyez votre différence et votre individualité.

1. **Âge**

J'ai entre 0 et 12 ans	☐
J'ai entre 13 et 18 ans	☐
J'ai entre 19 et 45 ans	☐
J'ai entre 46 et 60 ans	☐
J'ai plus de 60 ans	☐

2. **Sexe**

Je suis de sexe masculin	☐
Je suis de sexe féminin	☐

	Oui	Non
• Je suis enceinte	☐	☐
• J'allaite mon bébé	☐	☐
• Je suis en période de ménopause	☐	☐

Dans le domaine nutritionnel, les informations que vous fournissez aux questions 1 et 2 nécessitent une attention particulière en rapport avec une complémentation, même si la base nutritionnelle peut sembler la même.

3. **Histoire familiale**

	Oui	Non
Ma mère est décédée avant 60 ans	☐	☐
Il y a eu des naissances prématurées	☐	☐
Il y a eu des malformations congénitales	☐	☐
Il y a des cas de cancers	☐	☐
Il y a des maladies cardiaques	☐	☐
Il y a des maladies respiratoires	☐	☐
Il y a des maladies rénales	☐	☐

	Oui	Non
Il y a des cas d'hypertension artérielle	☐	☐
Il y a des maladies sanguines	☐	☐
Il y a des problèmes d'obésité	☐	☐
Il y a des problèmes osseux et articulaires	☐	☐
Il y a des maladies du système digestif	☐	☐
Il y a du diabète	☐	☐

Chacune de ces maladies dans votre histoire familiale est en relation avec de mauvaises habitudes de vie qui datent d'une ou deux générations. Vous auriez avantage à corriger ces mauvaises habitudes alimentaires apprises inconsciemment durant le processus de votre éducation. Il faudrait aussi penser ajouter une complémentation alimentaire pour remonter la côte et sortir du précipice de la maladie inscrite dans vos gènes et vos habitudes. Retrouver la santé sera plus long pour vous, mais vous êtes capable parce qu'en lisant ce livre, vous en saurez plus sur le sujet. Le médecin n'a peut-être traité que les effets de ces influences mais vous avez le pouvoir de vous attaquer à la cause. **Si la connaissance qu'a votre médecin de la nutrition ne se limite pas simplement à cette phrase «Nous avons tout ce qu'il faut dans nos aliments», il peut vous aider, par la complémentation, à boucher les trous déficitaires de votre champ nutritionnel.**

4. **Votre régime alimentaire**	Oui	Non
Je bois du café à tous les jours	☐	☐
Je prends de l'alcool à tous les jours	☐	☐
Je sucre beaucoup	☐	☐

	Oui	Non
Je sale beaucoup	☐	☐
Je mange de la viande rouge à tous les jours	☐	☐
Je suis végétarien	☐	☐
Je suis souvent des régimes amaigrissants	☐	☐
Je mange peu de fruits et de légumes	☐	☐
Je mange souvent du «fast-food»	☐	☐
Je mange souvent de la charcuterie	☐	☐
Je saute souvent le déjeûner ou un autre repas	☐	☐
Je bois très peu d'eau	☐	☐
Je bois des jus de fruits préparés d'avance	☐	☐
Je ne mange que des aliments cuits	☐	☐
Je ne mange que des aliments en conserve	☐	☐
Je bois ou je mange au delà de 20 onces de lait ou de produits laitiers par jour	☐	☐
Je mange des fritures à tous les jours	☐	☐
Je mange dans une boîte à lunch	☐	☐
Je mange en moins de 20 minutes	☐	☐
Je mastique peu mes aliments	☐	☐
Je bois en mangeant	☐	☐
Je mange tous les jours au restaurant	☐	☐

Toutes les mauvaises habitudes alimentaires influencent votre nutrition et occasionnent des déficiences nutritionnelles importantes dont vous ressentirez tôt ou tard les effets sur votre santé. Nous verrons comment bien manger et comment suppléer à ces déficiences par la complémentation.

5. **Vos habitudes de vie**	Oui	Non
Je fais peu ou pas d'exercice à chaque semaine	☐	☐
Je suis fatigué tout le temps	☐	☐
Je suis déprimé	☐	☐
Je suis stressé au travail	☐	☐
Je manque d'appétit	☐	☐
Je prends moins d'une heure de soleil par jour	☐	☐
Je dors mal	☐	☐
Je bois de l'alcool	☐	☐
Je fume	☐	☐
Je travaille dans le chimique et la fumée	☐	☐
Je travaille assis	☐	☐

Ceci est un indice que votre alimentation ne suffit pas à la demande ou qu'elle est insuffisante pour répondre aux responsabilités exigées et que vous ne mangez pas sur mesure. Il faudrait ajouter une complémentation alimentaire que nous préciserons plus loin dans ce livre. Pensez au plein air et à des petits exercices d'essoufflement.

6. **Votre dossier médical**

J'ai ou je fais

	Oui	Non
• de l'arthrose ou de l'arthrite	☐	☐
• de la constipation	☐	☐
• de l'hypertension	☐	☐
• un problème cardiaque	☐	☐
• un problème de cholestérol ou de triglycérides	☐	☐
• des allergies	☐	☐
• un problème rénal ou urinaire	☐	☐
• du diabète	☐	☐
• souvent des infections	☐	☐
• le cancer	☐	☐
• de l'hypoglycémie	☐	☐
• des ulcères	☐	☐
• une entérite ou/et une colite	☐	☐
• de la sclérose en plaques	☐	☐
• des problèmes d'artères	☐	☐
• de la sclérodermie, de la dermatomyosite	☐	☐
• des engourdissements	☐	☐
• des problèmes menstruels	☐	☐
• des fibromes et des hémorragies	☐	☐
• de l'insomnie	☐	☐
• des troubles de mémoire	☐	☐
• des pertes de connaissance	☐	☐

	Oui	Non
• du psoriasis	☐	☐
• de l'eczéma	☐	☐
• de l'acné	☐	☐
• des maux de dos	☐	☐
• des caries ou plus de dents	☐	☐
J'use mal mes chaussures	☐	☐
Je suis en fauteuil roulant	☐	☐
Je suis alcoolique	☐	☐
Je suis drogué	☐	☐

Voilà autant de problèmes médicaux qui devraient vous convaincre de réviser votre régime alimentaire et recourir à la complémentation. Vos habitudes de vie devraient également être révisées. Que faites-vous de l'autonomie ?

7. **Votre dossier chirurgical**	Oui	Non
Je n'ai plus de dents	☐	☐
Je n'ai plus d'estomac	☐	☐
Je n'ai plus de vésicule biliaire	☐	☐
Je n'ai plus de rate	☐	☐
Je n'ai plus d'ovaires	☐	☐
Je n'ai plus d'utérus	☐	☐
J'ai eu des transplantations de vaisseaux sanguins (aorte)	☐	☐
J'ai eu une opération au cœur (pontage)	☐	☐
J'ai eu une ou des amputations	☐	☐

	Oui	Non
J'ai été opéré en raison d'un cancer	☐	☐
J'ai eu une ressection de l'intestin ou du côlon (on m'a enlevé un bout d'intestin)	☐	☐
J'ai eu une opération aux bronches ou aux poumons	☐	☐
J'ai eu un remplacement articulaire (genou-hanche)	☐	☐

Ces divers organes influencent la capacité de vous nourrir ou de vous exercer. D'où la nécessité de modifier votre apport nutritionnel et votre complémentation, sinon vous allez de mal en pis. La complémentation devra tenir compte des organes digestifs et respiratoires comme des organes circulatoires qui vous manquent.

8. **Votre dossier pharmaceutique**	Oui	Non
Je prends des médicaments pour		
• la pression	☐	☐
• le diabète	☐	☐
• le cœur	☐	☐
• le cancer	☐	☐
• la douleur (aspirine ou autres drogues)	☐	☐
• l'arthrite	☐	☐
• les nerfs	☐	☐
• dormir	☐	☐
• maigrir	☐	☐

	Oui	Non
Je prends		
• des contraceptifs (anovulants)	☐	☐
• des antibiotiques	☐	☐
• des diurétiques	☐	☐
• des antiacides	☐	☐
• de l'alcool	☐	☐
• de la cortisone	☐	☐
• des drogues hallucinogènes	☐	☐
Je suis toujours des régimes amaigrissants	☐	☐
Je fume	☐	☐

Comme vous pouvez le constater, les médicaments qui altèrent les fonctions nutritives sont nombreux et vous devriez voir à compenser les pertes nutritionnelles qu'ils entraînent. Nous vous dirons comment.

CHAPITRE 6
VOUS ÊTES LES EXPERTS

En nutrition, vous êtes les experts. **S'il est une expertise que tous devraient posséder dès la plus tendre enfance, c'est bien celle de savoir se nourrir**. Un individu qui sait bien se nourrir sait aussi croître, s'adapter et surtout réussir. Pensez à la faiblesse que la maladie provoque et vous comprendrez qu'elle nous met en état de dépendance.

Pire encore. Depuis que nous nous sommes éloignés de la Nature, par le progrès technique, nous sommes à la merci des requins, non pas de la finance, mais de la production alimentaire. Par contre, on observe plusieurs phénomènes qui devraient nous faire réfléchir. Par exemple, le propriétaire d'un cheval de course dépense une fortune pour conserver la santé de son cheval. Ceux qui ont des animaux domestiques, un chat, un chien de race, leur donnent une nourriture équilibrée en protéines, vitamines et minéraux. Les propriétaires de vaches laitières prennent un soin méticuleux pour nourrir leur bétail avec la nourriture la plus riche en nutriments afin d'obtenir un lait de meilleure qualité. Les maraîchers, les horticulteurs passent un temps inouï à équilibrer leur sol en azote (protéines des plantes), en vitamines et en minéraux afin d'obtenir des plants plus productifs et des semences plus fécondes et plus résistantes. Mais nous les humains, que faisons-nous ?

Nous sommes pourtant conscients, surtout après avoir lu le dernier chapitre, que **la nutrition est à la base de la santé génétique, de la santé sécrétoire, de la santé excrétoire ou épuratoire, de la santé reproductive et de la santé réceptive de la cellule.** Que faisons-nous ? Depuis un siècle, nous mangeons «à la livre», en quantité, au lieu de voir à la **qualité**, à la **vitalité** de la nourriture que nous prenons. Nous regardons la couleur, le goût, l'emballage, mais un cadavre bien maquillé dans un beau cercueil ne fera jamais un bon ami. Nous sommes devenus des mangeurs d'aliments morts, tués par les préservatifs, les additifs, maquillés par les colorants, emballés dans le plastique au lieu de conserver leur habit naturel. On fuit la fermeté des aliments vivants pour la mollesse des aliments transformés. Au lieu de profiter de la longueur des saisons, patiemment, nous ingérons du vite fait.

Mais le pire dans cette jungle alimentaire, c'est qu'actuellement nous irradions les aliments. L'irradiation leur conserve toute leur apparence de fraîcheur, mais ils sont morts vivants et ils ne peuvent même plus se reproduire. Les huiles naturelles sont détruites. Quelle mesquinerie que cette décision d'irradier les aliments et de disperser ainsi dans toutes les villes du pays des déchets radioactifs sans que cela paraisse. Quel complot contre la population d'un pays. Et tout cela motivé par une raison de finance et non de santé.

Il y a des nutriments reconnus essentiels à toute bonne nutrition, mais **les standards nécessaires sont fixés pour éviter la pire des maladies et non pour favoriser la santé optimale.**

D'autre part, il y a des choses encore pires qui échappent au commun des mortels, si on ne s'arrête pas pour y réfléchir. On invente toutes sortes de régimes et de diètes qui semblent tenir du miracle suivant leurs promoteurs. Perdez du poids, répète-t-on, comme si le poids importait. La notion de poids est le plus grand mensonge des requins de l'alimentation et des vendeurs de pèse-personne. **Votre poids est le même, que vous soyez vivant, ou bien que vous soyez mort.** Le poids n'est pas un indice de vitalité pour la cellule ni pour l'être humain (voir le chapitre «Ce que la balance ne dit pas» dans mon livre **Une vie, une santé**).

L'indice de votre vitalité, de votre force vitale, donc de votre santé, c'est la capacité de vous sentir vigoureux, de rendre service efficacement selon la demande du prochain; c'est la capacité d'être autonome et non dépendant; c'est la capacité de vivre en harmonie dans nos différences; c'est la capacité de se reproduire sans que nos enfants soient malformés, prématurés; c'est la capacité de vivre sans maladie dégénérative jusqu'à cent ou cent vingt ans. Seuls des aliments et des nutriments vivants et variés peuvent faire cela. Ils le font pour les chevaux de course, les chats et les chiens, les plantes et les fleurs, pourquoi par pour vous ?

Comment pouvez-vous être les experts de votre nutrition ? D'abord en lisant les notions des chapitres qui précèdent et qui suivront; en sentant votre vitalité et votre vigueur; en reconnaissant votre bonne humeur générale; en vivant en dehors de la peur d'être malade; en sachant les messages de vos sens; en sachant comment vos muscles sont importants pour votre activité et votre service; en sachant vous reposer sans devenir sédentaires; en tempérant vos ambitions démesurées. Toutes ces choses vous témoignent que vous mangez bien, parce que vous vous sentez bien et que vous reconnaissez le bien-être des autres.

Pour bien se nourrir, le bon sens suffisait lorsque nous vivions dans une nature que les inventions des hommes n'avaient pas transformée. C'est pour cela que beaucoup de nos anciens, encore vivants aujourd'hui, sont en bien meilleure forme que de nombreux jeunes. Le pseudo progrès a détruit sournoisement la vie des denrées alimentaires que nous avions à transporter et à exposer sur les tablettes; il a répondu aux caprices des yeux, des nez et des langues avant de répondre aux nécessités des cœurs, des cerveaux, des os, des estomacs et de l'activité du quotidien; il a répondu à la facilité affaiblissante et débilitante. Ce pseudo-progrès a produit des quantités de fainéants, de marginaux, d'endormis facilement manipulables qui ne demandent pas plus que ce qu'on leur donne: du pain et des jeux, comme dans l'Antiquité.

Je peux bien vous dire quels sont les nutriments essentiels pour vous éviter des maladies, mais ce n'est pas suffisant. J'aime mieux vous dire combien de nutriments sont nécessaires à une santé optimale. **Vous pourrez juger d'après les résultats.**

POURQUOI DEVRIEZ-VOUS ÊTRE VOTRE EXPERT EN NUTRITION ?

C'est une question qui vous effleure sûrement l'esprit. Quand quelqu'un, subitement, pour quelque raison que ce soit, vous indique un bon régime pour la santé, sans vous connaître, il pose un geste que vous devriez mettre en doute. Pourquoi ? Est-ce que les vêtements sont tous de la même mesure ? Est-ce que les chapeaux ou les souliers sont tous de la même pointure ? Non, évidemment. De la même façon, **il n'y a pas de régime unique qui soit à la mesure de tout le monde.** Vous devez tous mettre un vêtement si vous avez froid, mais vous n'habillez pas tous la même taille.

Par contre, nous sommes tous faits de cellules et ces cellules ont toutes besoin de se nourrir de matériaux vivants afin de réaliser leurs fonctions. Mais suivant notre travail, nos dépenses énergétiques seront différentes. Nous ne subissons pas les mêmes opérations au même âge. En fait, nous vivons chacun nos propres expériences et chaque individu doit s'adapter.

Devenir votre propre expert, c'est être capable de définir vos besoins nutritionnels suivant la connaissance que vous possédez de vous-même et les facteurs qui vous distinguent des autres. De façon générale, vous devez chercher à ce que vos aliments aient les qualités suivantes: qu'ils soient vivants et variés. De façon plus particulière, prenez un nombre de repas qui tiendra compte de votre croissance, de vos dépenses énergétiques, physiques, mentales, intellectuelles et sociales.

Tenez compte ensuite de votre âge, des chirurgies qui ont pu vous soustraire des organes, des négligences qui ont pu détruire d'autres organes ou fonctions, soit par infections, soit par traumatismes, par irradiations ou par stress.

Tous nous sommes faits de milliards de cellules, mais chacun de nous, pris individuellement, a des besoins qui diffèrent. Devenez donc maintenant votre propre expert. Calculez ce qu'il vous faut en aliments et en nutriments et vous sentirez progressivement les résultats. Vous verrez alors apparaître une vigueur que vous n'aviez pas sentie depuis des années. **J'aimerais que vous ajoutiez de la qualité à votre vie et à votre existence et peut-être aussi quelques bonnes années de plus. Le Christ demandait la vigueur et la santé lorsqu'il disait «viens et suis moi».** Seul le vigoureux pouvait écouter son message en marchant avec lui: les matérialistes ne pouvaient pas à cause de leurs trop grandes richesses à transporter; les infirmes ne pouvaient pas non plus, malgré que leur foi les a bien souvent sauvés. Sentir cette vigueur vous rend plus aimable envers vous-même, plus aimant et serviable envers les autres. Le Maître laissait entendre aussi que l'abondance d'une seule chose sur la table du riche pouvait le perdre, alors que les miettes qui en tombaient offraient plus de variétés dans leur frugalité.

Devenez votre propre expert, faites de vos enfants des experts de leur alimentation vivante et variée et vous leur assurerez la santé qui leur donnera le temps de se réaliser.

Pour devenir votre expert, vous devez donc vous connaître et je vais maintenant vous aider en ce sens. Avec le petit questionnaire du chapitre 2 (Un premier bilan de santé), vous avez eu un aperçu de votre état de santé. Dans le prochain chapitre, nous irons un peu plus loin.

CHAPITRE 7

CE QUI SE PASSE À L'INTÉRIEUR DE VOUS

Comment cela se passe-t-il en dedans de vous ? Comment, à partir de matières brutes que la Nature vous fournit, arrivez-vous à produire l'énergie qu'il faut pour garder la chaleur du corps et répondre adéquatement aux dépenses physiques et intellectuelles requises et en même temps satisfaire les besoins de croissance et le renouvellement cellulaire ? C'est là toute la question de la nutrition.

Pour transformer les aliments, nous avons tous un mécanisme qui englobe le corps vivant au complet. Le système nerveux évalue d'abord les besoins et provoque la demande: la faim, la soif, le besoin d'air et d'élimination. Puis, le corps physique ou mécanique (musculature et ossature) est actionné par le cerveau pour remplir cette demande par son activité physique en association avec les habitudes acquises durant notre vie familiale et notre éducation. Nous passons alors à l'acte de manger, de respirer, de boire et d'éliminer afin de bien remplir cette demande: le besoin en énergie.

Vous comprenez que si votre éducation familiale s'est faite dans un milieu naturel, près de la terre et de l'agriculture, vous êtes en meilleure situation parce que vous avez inscrit très tôt dans votre existence les bons mécanismes de réponse. Par contre, si vous avez été élevé dans un milieu citadin artificiel, il vous a été plus facile, la publicité aidant, d'acquérir de mauvaises habitudes. Les couleurs, les goûts, les parfums et la consistance alimentaire ont pu être frelatés par l'industrie qui ajoute de la facilité, des préservatifs, des additifs, des saveurs et des colorants, lesquels modifient la valeur nutritive et l'énergie contenues dans les aliments. Tout cela à votre insu et à l'insu de la Nature. Ceci vous aide à comprendre pourquoi de plus en plus de gens grignotent et collationnent. Les aliments ayant été vidés de leur énergie vivante, les repas ne satisfont pas leur faim et leur soif (boulimie, anorexie, hypoglycémie).

J'ai été à même de constater que les gens de la première génération en ville sont encore assez résistants à la maladie. Ceux de la deuxième génération sont un peu plus touchés par la maladie, alors que ceux de la troisième ont des maladies génétiques, des cancers et des maladies dégénératives. Il y a un prix à payer lorsqu'on éloigne nos enfants de la Nature, lorsqu'on brise l'éducation au travail agricole, l'éducation au respect du vivant dans les aliments. Il y a un prix à payer aussi lorsqu'on brise la valeur naturelle des aliments. Les enfants se font alors plus rares, sont plus malades, naissent plus souvent avant terme, présentent plus de malformations et finissent par avoir des maladies dégénératives et des cancers.

Tout cela parce que nous mangeons plus mal. En mangeant des aliments dénaturés, nous devenons dénaturés. **Il n'y a qu'une réponse possible à tout cela: réapprendre la Nature, sa vie, sa variété et retrouver la vigueur dans votre alimentation et votre complémentation.**

Après tant d'années de pratique pédiatrique et d'observations du rapport entre l'alimentation et l'apparition des maladies, je puis vous dire qu'essentiellement **la maladie n'existe pas si nous savons complémenter nos aliments frelatés par l'industrie.** La maladie est accidentelle ou le résultat de notre ignorance. L'industrie peut bien faire si elle se donne la peine de préserver honnêtement la valeur nutritive des aliments.

LE SEUL VRAI TRANSFORMATEUR DE VOS ALIMENTS

Toutes les transformations qui sont opérées sur les aliments en dehors de notre corps appauvrissent la valeur énergétique de ceux-ci. **Notre corps digestif est le seul transformateur.** Il est évidemment bon de savoir cueillir, cultiver et préserver la valeur de nos récoltes. Mais leur transformation ne peut se faire sans payer le prix d'une perte d'énergie. Finalement, cette transformation ne profite qu'aux financiers au détriment de notre santé.

Mais qu'arrive-t-il après que nous ayons choisi nos aliments le plus naturels possible, que nous les ayons apprêtés dans nos cuisines en faisant attention pour ne pas trop les cuire, et que nous passons à table pour manger ?

ÉTAPE DE LA BOUCHE: LE VESTIBULE D'ENTRÉE OU LA CARTE DE VISITE

Dans la nutrition, la bouche (voir schéma 5) remplit plusieurs rôles très importants à comprendre. Les dents sont là pour couper les fibres (céréales, légumes, fruits, légumineuses) et les mastiquer. Sans elles, nous avalons tout rond et la digestion ne peut pas se réaliser complètement. La mastication permet d'extraire le goût des aliments et provoque la salivation. La salive contient l'enzyme qu'il faut pour digérer les hydrates de carbone et les sucres complexes que nous retrouvons dans les aliments céréaliers, certains fruits et légumes. C'est pour

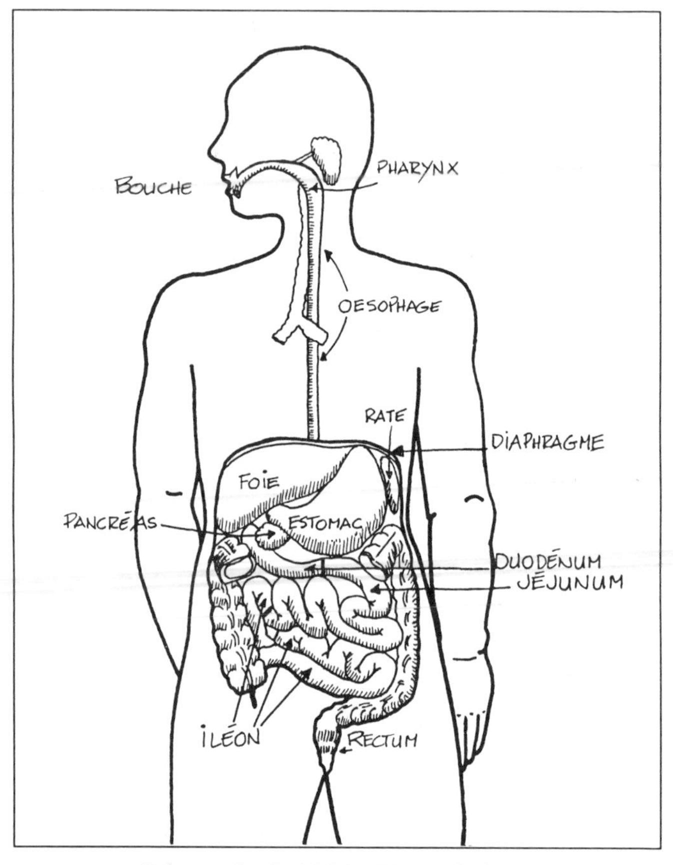

Schéma 5 – L'APPAREIL DIGESTIF

cela qu'il ne faut pas boire en mastiquant; en effet, nous diluons alors cet enzyme, la ptyaline, qui est une amylase parce qu'elle digère les amidons. En plus, la salive enrobe la bouchée et rend sa déglutition plus aisée.

Les goûts salés, sucrés, aigres, amers et sûrs sont enregistrés par les papilles gustatives alors que les parfums sont enregistrés par les papilles olfactives du nez, tout cela dans le but de renseigner le cerveau. La force musculaire des joues et des lèvres, nécessaire pour assurer la mastication, renforce celles-ci et aide à l'enracinement des dents. Cela entraîne d'une part une meilleure durée de la dentition et permet aux enfants qui ont mastiqué de pouvoir mieux articuler leur langage d'autre part.

ÉTAPE DE L'ESTOMAC: LA SALLE D'ATTENTE, LE BROYEUR ACIDE

Le bol alimentaire, mastiqué et humecté de salive, descend le tuyau œsophagien pour passer l'anneau du cardia et pénétrer dans l'estomac (voir schéma 5). La bouche avait extrait l'énergie des hydrates de carbone et brisé les fibres. Pendant la mastication, l'estomac s'était préparé en sécrétant des enzymes et l'acide chlorhydrique. Aussi, à l'arrivée du bol alimentaire, la bouillie de digestion biologique dégrade en premier lieu les hydrates de carbone en sucres simples. Si vous n'avez pas mastiqué, les hydrates de carbone pourront fermenter et vous aurez des reflux acides dans l'œsophage. Les fibres aussi fermenteront et vous gonfleront.

Ensuite, les protéines des céréales, des légumes, des viandes seront réduites en plus petites molécules (les polypeptides et les peptides) grâce à des enzymes qui portent le nom de peptidases. Les acides rendent actifs ces enzymes et ce processus prendra deux à trois heures.

Ce sont les graisses qui allongent le processus de digestion dans l'estomac. Les huiles de première pression à froid peuvent se combiner avec des minéraux et sont plus solubles. Leur digestion sera alors un peu plus courte. La digestion des huiles et des graisses à l'estomac peut prendre de quatre à six heures.

À la sortie de l'estomac, il y a un muscle annulaire qui empêche les aliments de passer à la première portion du petit intestin (duodénum) tant que leur digestion n'est pas faite. Certaines substances peuvent être assimilées par l'estomac directement: ce sont les minéraux, l'eau et les alcools. L'estomac est un sac sécrétoire, mais aussi un sac musculaire lisse. Il va pétrir et brasser les aliments pour les exposer aux enzymes et aux acides. Un bon remplissage de l'estomac provoquera aussi le déclenchement des mouvements du gros intestin, provoquant ainsi une élimination des selles. C'est la raison pour laquelle les petits appétits, les grignoteux, les maniaques de régimes amaigrissants peuvent devenir des constipés chroniques et s'empoisonner. Nous verrons cela dans l'étape du côlon.

En plus, il nous faut aussi réaliser que l'action de respirer à fond abaisse le muscle diaphragmatique sur le foie et l'estomac et ajoute au brassage. C'est pour cela que, quelquefois, le diaphragme touché par un estomac gonflé pourra avoir des soubresauts que nous appelons le hoquet. L'estomac est aussi un sac très extensible pouvant contenir un volume alimentaire presqu'industriel. Si nous ne mastiquons pas suffisamment, le centre de la satiété n'est pas averti assez vite et même si nous avons avalé un volume considérable de nourriture, nous avons encore faim. Mais cette nourriture excessive finira par se digérer et nous découvrirons que nous engraissons trop. Manger lentement est souvent le secret pour maintenir un poids normal et le secret aussi pour ne pas ressentir toujours la faim. Mastiquer et manger lentement devraient faire partie de la discipline des obèses et de toute personne qui veut profiter de l'énergie de son alimentation.

ÉTAPE DU DUODÉNUM: L'ANSE DU DOSAGE CHIMIQUE

Après les trois à six heures de brassage gastrique, le bol alimentaire (le chyme) passe à la première partie du petit intestin, le duodénum (voir schéma 5). À cet endroit, il y a un orifice qui laisse sortir les sécrétions du foie (la bile) et du pancréas (les sucs pancréatriques et ses enzymes). C'est l'orifice du cholédoque. Les hydrates de carbone sont maintenant devenus des saccharides ou des disaccharides, les graisses et les huiles sont devenues des acides gras et les protéines des peptides et des acides aminés. L'arrivée du bol alimentaire déclenche la sécrétion des sucs pancréatiques et de la bile du foie dans un milieu qui est devenu alcalin et non plus acide comme à l'estomac. Le duodénum est aussi un tuyau musculaire qui brasse le bol alimentaire pour assurer le mélange des enzymes et compléter la digestion. Les enzymes réduisent les sucres complexes en sucres simples et les protéines en acides aminés. (En passant, nous avons besoin de 20 à 22 acides aminés différents.)

Les graisses sont rendues solubles par la bile, et les vitamines (A, D, E, K) présentes dans les huiles peuvent être assimilées. Les autres vitamines solubles dans l'eau (B, C, etc.) sont assimilées avec l'eau ou lors de la phase aqueuse des nutriments. La circulation sanguine est très active à ce moment autour de l'estomac et de l'intestin et l'apport de sang aux muscles est réduit. Nous pouvons dire qu'à l'étape du duodénum, le bois grossier est transformé en bois prêt à servir à la construction du corps. Ou si vous voulez, **les aliments sont devenus des nutriments**. Seules les fibres alimentaires vont continuer leur voyage dans l'intestin en demeurant inchangées, sinon gonflées par l'eau et rendues visqueuses et limoneuses pour faciliter la glissée vers le gros intestin. Nous verrons leur rôle à l'étape suivante.

ÉTAPE DU PETIT INTESTIN (JÉJUNUM ET ILÉON): LA RACINE DE L'ARBRE HUMAIN

Si jusqu'ici nous avons vu s'opérer de nombreux changements des aliments dans notre intestin, ce qui se passera maintenant sera encore plus important. Pendant les étapes précédentes, nous avons mangé, digéré et transformé nos aliments en nutriments. Mais au jéjunum et à l'iléon (voir schéma 5), longs d'une quinzaine de pieds, nous changeons d'acte. **Nous avons mangé, maintenant**

nous allons nous nourrir. Nous avons converti les aliments en nutriments par la digestion, maintenant nous allons assimiler ces nutriments. Nous étions demeurés dans la lumière du tuyau digestif, maintenant nous changeons de canalisation en passant les nutriments dans le sang de la veine porte. Il faut que nos aliments puissent être des nutriments pour avoir accès au sang de la veine porte qui se rend au foie. C'est là l'action et la métamorphose de la nutrition. C'est cela se nourrir. **Il ne suffit pas d'avoir des aliments dans l'intestin pour se nourrir, il faut les assimiler.**

Nos aliments cessent d'être des viandes, des légumes, des céréales, des fruits, etc. Ils deviennent des acides aminés, des acides gras, des sucres simples, de l'eau, des minéraux, des vitamines. Seulement les fibres demeurent inchangées et ralentissent l'assimilation trop rapide des sucres pour que nous n'explosions pas. Elles ralentissent aussi l'assimilation des huiles pour ne pas bloquer les vaisseaux sanguins, absorbent les poisons pour éviter l'empoisonnement, entraînent les graisses saturées pour éliminer le gras dans le sang et elles entraînent enfin la bouillie des nutriments (le chyle) vers le bas pour éliminer ce qui ne sert pas.

Sur toute leur longueur, le jéjunum et l'iléon brassent le bol alimentaire ou le chyle pour le rendre comme un lait assimilable. Revenons un instant à l'assimilation. Nous disons «je ne digère pas bien», ou «mon foie est lent» ou «je suis gonflé après les repas» et toutes sortes de plaintes du même genre. C'est peut-être vrai quand vous continuez d'avoir du dérangement abdominal. **Mais si vous continuez d'avoir faim après les repas, surtout deux à trois heures après les repas, c'est que votre assimilation ne se fait pas bien.**

Ce qui dérange la digestion, ce sont très souvent les additifs, les préservatifs et les radicaux libres que la chimification du marché alimentaire a provoqués. Mais l'assimilation des nutriments vers le foie, par la veine porte, est un autre mécanisme de transport. Le bol alimentaire ou le chyle intestinal est comme un lait après la digestion, un peu comme le lait de notre mère. Il devra passer de l'intestin au sang de la veine porte et se rendre au foie. Chez le fœtus, le sang du placenta passe directement par le foie pour métaboliser les nutriments puisés dans le sang de la mère.

Si vous n'assimilez pas, vous ne vous nourrissez pas. Certaines maladies comme la diarrhée, l'entérite de Crohn, l'entérite pure et simple, la maladie cœliaque, l'entéropathie au gluten, l'intoxication alimentaire, etc. provoquent une mauvaise digestion en ne brisant pas complètement les aliments pour en faire des nutriments. Entre autres, le lait et son lactose ne sont pas digérés dans toutes les irritations intestinales. Dans la maladie cœliaque et de Crohn, ce sont les farines d'origine céréalière ne sont pas digérées, sauf les farines de patates, de bananes et de riz. Dans d'autres maladies, comme les disaccharidases, ce sont les sucres complexes appelés les disaccharides qui ne le sont pas. C'est ce qui crée la nécessité de préciser un diagnostic avant de recourir à des diètes. Mais dans toutes les lésions du petit intestin, c'est l'assimilation qui est surtout entravée. Vous avez beau manger, rien ne parvient au foie et vous continuez d'avoir faim. N'oubliez pas cette notion: l'assimilation.

ÉTAPE DE LA VEINE PORTE AU FOIE: LA MANUFACTURE CHIMIQUE

Le foie est une glande annexe de la fonction digestive. Organe le plus lourd du corps humain, il peut peser jusqu'à 6 livres. Sans le foie, notre machinerie intestinale et digestive n'aurait aucune valeur vis-à-vis notre nutrition. **Le foie, c'est la clé de notre nutrition cellulaire.** Il agit comme filtre sur ce qui peut pénétrer dans notre sang, assimile tous les nutriments de notre digestion, filtre et inactive les poisons et les toxines qui pourraient venir de nos aliments ou des bactéries et des déchets de notre gros intestin (voir schéma 5).

Le foie reçoit aussi le sang de la rate, après que celle-ci en ait fait un triage, et sécrète la bile et les sels biliaires après les avoir fabriqués avec les déchets des hormones usées de notre circulation. Cette dernière fonction est importante, parce que lorsque le foie sécrète mal ou ne fabrique pas bien la bile, ces hormones usées peuvent s'accumuler, provoquant ainsi des problèmes des glandes testiculaires, ovariennes, thyroïdiennes, surrénaliennes, mammaires et même des problèmes d'acné puisque les glandes sébacées agissent comme soupapes pour suppléer aux difficultés du foie dans des conditions anormales.

Le foie se saisit de chacun des nutriments majeurs comme les sucres, les acides aminés (protéines), les acides gras (huiles et graisses) et fabrique ce dont nous avons besoin en se servant des vitamines et des minéraux comme amorces. Avec les sucres, il crée une énergie que nous appelons l'ATP. C'est une énergie utilisable par toutes les cellules de l'organisme. Avec les acides gras, il fait des substances utilisées dans les parois de nos cellules et dans toutes nos cellules. Avec les acides aminés des protéines alimentaires, il fabrique les protéines tissulaires selon les besoins de nos cellules.

Les protéines que nous mangeons ne demeurent pas telles quelles dans notre sang. La digestion en a fait une vingtaine d'acides aminés. Le foie, selon la dictée des gènes et des moules génétiques, les transforme en protéines tissulaires propres à chacune des cellules. Par exemple, les protéines des muscles sont la myoglobine, l'actine et la myosine. Les protéines du tissu nerveux sont les médiateurs chimiques de l'influx électrique comme l'adrénaline et l'acétylcholine, la myéline et les glycoprotéines constituant les parois des cellules. Les protéines du plasma sont les albumines, celles des globules rouges, l'hémoglobine, celles du globule blanc, les gammaglobulines ou les anticorps. Les protéines des glandes sont transformées en hormones ou en enzymes selon les besoins de chacune. L'osséine est la protéine qui compose la matrice fibreuse de l'os. Et comme nous l'avons vu un peu plus avant, les protéines qui composent tous les tissus de soutien sont le collagène, la réticuline et l'élastine. Ce sont toutes des protéines faites par les fibrocytes. La protéine qui sert à rendre notre peau étanche et souple et nos ongles durs est la kératine. Le foie fabrique aussi une grande partie des protéines servant à la coagulation du sang, la prothrombine, l'héparine, etc. et une protéine circulant dans le sang et agissant comme transporteuse, l'albumine.

Il y a des milliers de protéines ainsi fabriquées, mais elles le sont toujours à partir de vingt à vingt-deux acides aminés qui composent toutes les protéines de notre corps. Pour comprendre comment nous pouvons avoir des milliers de protéines différentes avec seulement vingt à vingt-deux acides aminés, je ne vous poserai qu'une question. Comment pouvez-vous faire 100 000 mots avec seulement vingt-six lettres de l'alphabet et comment pouvez-vous faire 5 000 dialectes ou langues avec ces mêmes ving-six lettres de l'alphabet ? Comment pouvez-vous écrire des millions de musiques différentes avec sept notes et quelques gammes ? Vous me comprenez n'est-ce pas ? De la même façon, le foie et les cellules, selon les moules génétiques, peuvent faire des milliers de codes protéiques avec les quelques vingt à vingt-deux acides aminés que devraient vous fournir votre régime alimentaire à partir des protéines que vous mangez. À la condition bien sûr que vous les digériez d'une part, et que vous les assimiliez ou absorbiez au foie d'autre part. J'ajouterais même, à la condition que votre foie n'ait pas été empoisonné avec vos selles et vos toxines par la constipation, les alcools et les additifs chimiques industriels.

Certains matériaux du corps deviennent des protéines qui sont, à leur tour, usées puis captées par un autre filtre: la rate. Sa circulation est en communication directe avec celle du foie. En effet, les bons matériaux sont recyclés par le foie et, si la rate reçoit trop de déchets, ou encore des virus sanguins, elle grossit et le foie pourra aussi suivre le même chemin en augmentant de taille. Voilà pourquoi le médecin vérifie si votre rate ou votre foie ont augmenté de volume. En plus, un foie dont la circulation est entravée par de l'inflammation ou des toxines, peut provoquer des varices à l'estomac et à l'œsophage. À un moindre degré d'augmentation de pression dans le foie, ce sont les hémorroïdes qui se développent et gonflent.

Un autre phénomène qui nous aide à comprendre toute la mécanique du ventre, c'est le rôle joué par les muscles du diaphragme et de la paroi abdominale. De bonnes grandes respirations abaissent le diaphragme qui comprime le foie qui se vide dans le sang se dirigeant vers le cœur droit pour passer aux poumons afin d'être oxygéné. Aussi, les muscles de la paroi abdominale gardent les tripes rapprochées ensemble et évitent la déperdition de chaleur si importante dans l'action des enzymes digestifs, donc de la digestion.

Des muscles mous ou un ventre mou font perdre de la chaleur digestive et ralentissent la digestion; un ventre mou empêche l'évacuation efficace des déchets et provoque la constipation. Une bonne marche régulière garde les muscles du ventre fermes. Pensez-y bien quand vous prenez du plein air.

ÉTAPE DU POUMON ET DU CŒUR: L'AÉRATION ET LA CIRCULATION ÉNERGÉTIQUE

Au cœur droit viennent se mélanger ensemble le sang riche en nutriments provenant du foie, le sang des membres, usé par l'action musculaire, et le sang venant de la tête, riche en hormones trophiques. Puis, le sang va se faire ventiler aux poumons qui en évacuent les gaz par les bronches et le nez. Il passe ensuite au cœur gauche. À cet endroit, la forte contraction du muscle cardiaque gauche s'associe avec la succion provoquée par l'action des muscles des membres et du tronc pour assurer une pression de 120 millimètres de mercure. Cette pression fait parvenir le sang nutritif à toutes les cellules de l'organisme (voir schéma 6).

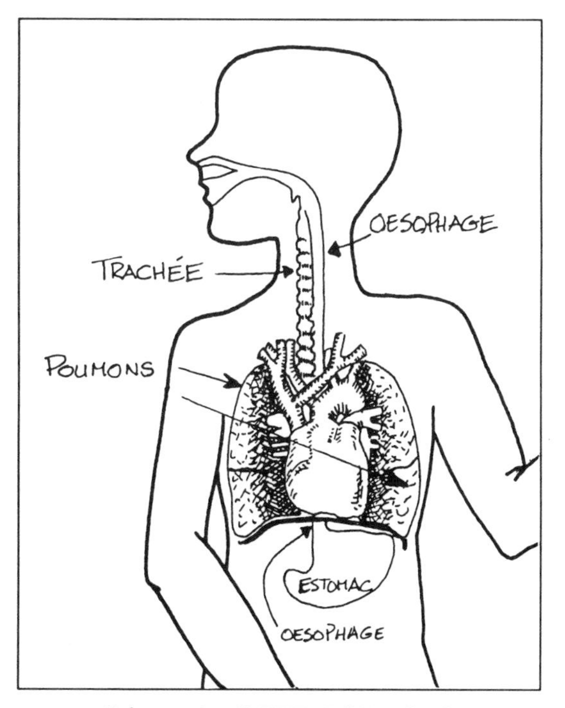

Schéma 6 – CŒUR-POUMONS

Si vos muscles sont inactifs, s'ils sont tendus, crispés par le stress ou l'émotivité, votre muscle cardiaque devra quelquefois accroître sa contraction jusqu'à 180 millimètres de pression (hypertension artérielle).

Plusieurs facteurs vont provoquer une hypertension artérielle: une tension continue, une mauvaise alimentation qui ne permet pas de diminuer l'extension de votre aorte ou qui rend les muscles irritables par manque de calcium et de potassium, une mauvaise élimination des déchets par le rein, etc. L'hypertension artérielle qui s'ensuit endommage vos artères et votre cœur.

Je sais que vous comprenez de mieux en mieux maintenant l'importance de la nutrition. Tout ce qu'il y a dans la Nature doit se nourrir selon ses besoins pour conserver sa vitalité, je devrais dire la vitalité de ses tissus.

ÉTAPE ARTÉRIELLE: LE GRAND RÉSEAU DE DISTRIBUTION

Toute notre masse sanguine, riche de nutriments, prendra le chemin des cellules en parcourant quelque 100 milliards de points de contact et de ravitaillement (voir schéma 7). On ne peut que s'extasier quand nous savons tout cela.

Nos cinq à six litres de sang sont distribués comme ceci (voir schéma 8):

- 25% va au cerveau qui ne fait pourtant qu'un cinquantième du poids total du corps. Vous voyez et comprenez l'importance du cerveau. Voilà sans doute pourquoi il ne faut pas perdre la tête.
- 25% va dans les muscles et les os, pour l'action musculaire.
- 25% va dans les viscères du thorax et de l'abdomen.
- 25% est en transit. Selon le lieu où l'action est plus grande à un moment donné, l'afflux sanguin peut s'accroître. Ainsi, durant la digestion, il y a plus de sang autour des intestins et de l'estomac; durant l'activité physique, il y en a plus dans les muscles; et durant l'activité cérébrale, c'est au cerveau qu'on en retrouve une plus grande quantité. C'est pour cela qu'il ne faut pas faire d'exercices violents après les repas, qu'il ne faut pas non plus trop manger avant

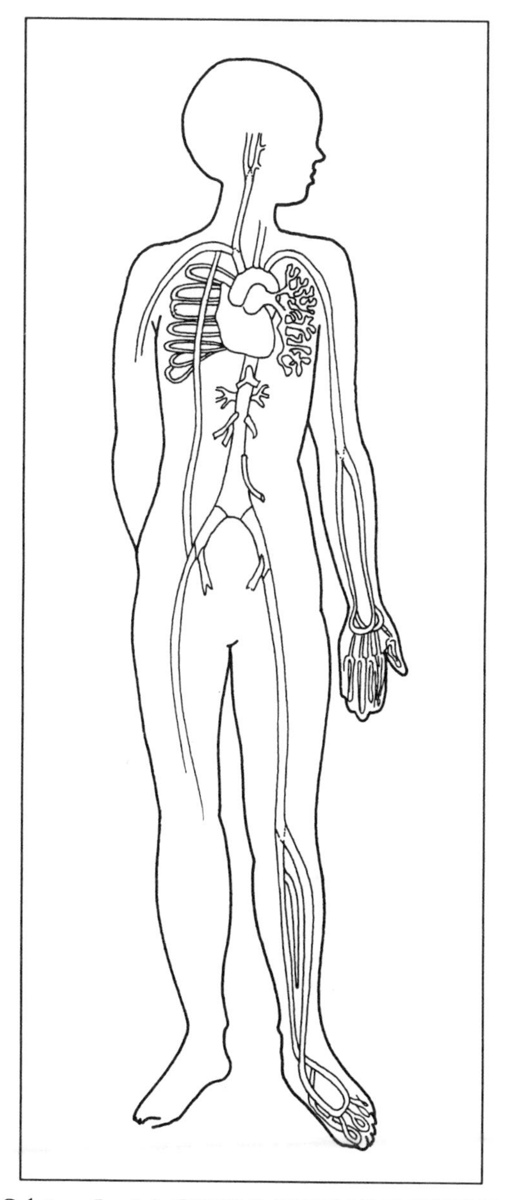

Schéma 7 – LA CIRCULATION SANGUINE

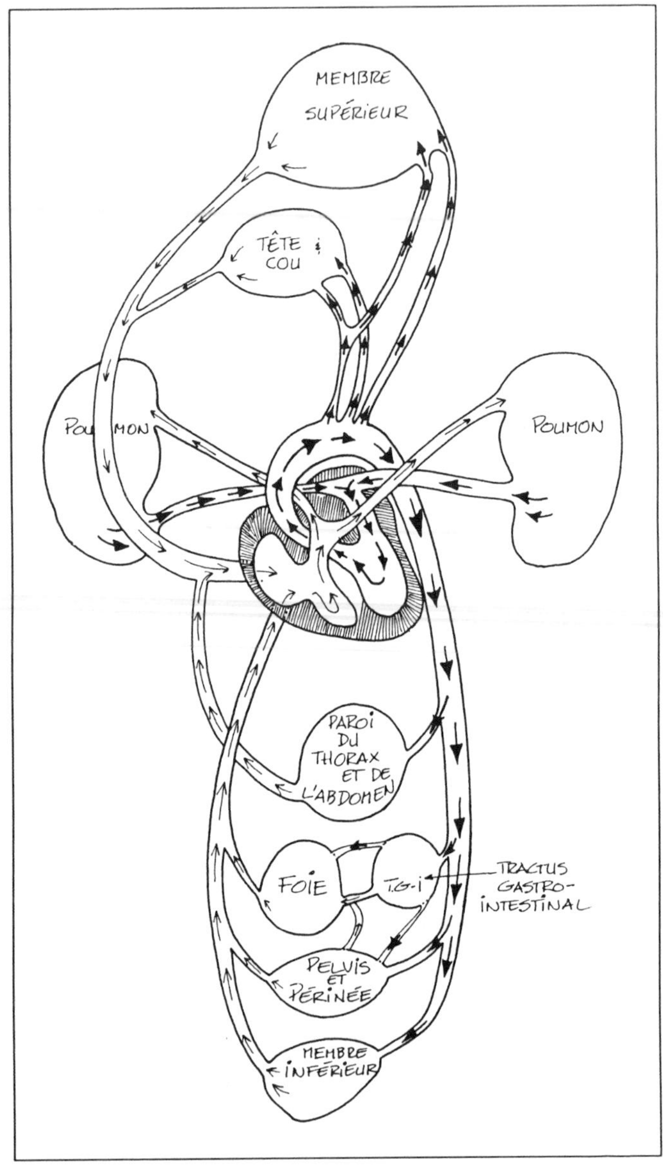

Schéma 8 – LA CIRCULATION SANGUINE

un exercice ou un travail physique forçant, ou qu'il ne faut pas se surcharger le ventre avant une bonne période d'étude. Une zone du corps qui reste inactive devient congestionnée. **De la même façon qu'une nappe d'eau arrêtée pourrit, ainsi un point du corps mal vascularisé devient stagnant comme un étang, et les toxines s'y accumulent.** C'est le cas avec la cellulite. C'est à cause de cela que les muscles rapetissent. C'est aussi pour cette raison que le cancer peut s'installer et que les bactéries et les virus nous infectent. **Attention: vivre veut dire être en mouvement et le mouvement signifie la vitalité, la vigueur.** Même plus, le mouvement est Dieu-Vivant. Le Créateur est dans le mouvement et les mouvements sont dans la Nature, dans l'échange qui donne le mouvement, dans l'aventure qui donne le mouvement. Je pense que les choses doivent être plus claires dans votre esprit maintenant. Mais il y a encore plus.

Le mouvement ne se retrouve pas dans le normal, le fixe, l'encadré, le sécure, le stable, le confortable. Cela, c'est la mort cellulaire, la mort tissulaire et la mort humaine. Le Vivant n'est pas dans l'aliment embaumé par les nitrites, fixé par l'irradiation, tué par une cuisson d'enfer. Non, il n'y a pas de vie là, donc pas de changement, pas d'échange et pas de vigueur. Faites attention à cela. **Seul un aliment vivant peut vous sacrifier sa vie pour vous accorder de la vigueur. Il faut savoir s'éloigner de ce qui ne respecte pas la vie.**

Si le sang stagne, s'il y a stase, la maladie apparaît et il peut y avoir cancérisation. Quand les sécrétions stagnent dans les bronches durant de nombreuses années, le cancer des bronches peut en résulter surtout si, en plus, les nutriments qui donnent de la vigueur sont absents.

Si les sécrétions des glandes mammaires stagnent parce qu'elles sont immobilisées dans des brassières trop serrées et qu'en plus la circulation et les nutriments font défaut, le résultat peut être un cancer du sein après la dysplasie et les kystes.

Si le sang stagne, ne circule pas bien dans la prostate, comme c'est le cas chez les gens trop assis devant leur petit écran ou dans leur véhicule automobile, le résultat peut être un cancer de la prostate.

S'il y a stagnation ou stase des toxines au foie, c'est le cancer du foie; s'il y a irritation et stase des selles dans le côlon durant de nombreuses années, c'est le cancer du côlon. Ajoutez à tout cela une malnutrition chronique s'étendant sur une, deux et même trois générations et vous avez des malformations génétiques, des cancers localisés des gènes, ou encore vous avez des malformations congénitales. Un problème génétique est souvent vu comme un problème génétique, mais un cancer, c'est aussi un problème génétique qui s'exprime du vivant de quelqu'un, dans une zone cellulaire, dans une glande, dans un organe.

Les vitamines A et E ainsi que la vitamine C nous en protègent. Mais le bon fonctionnement des organes émonctoires et épurateurs, qui nous évite la stase urinaire et la constipation, nous évitera aussi des cancers, tout comme le font le travail amenant la sudation, l'allaitement des bébés, l'eau pure qui fait uriner plus souvent, etc.

Vous commencez sûrement à mieux comprendre qu'**un organisme bien nourri, c'est un organisme vivant plus vigoureux et résistant, plus actif et travaillant, s'adaptant mieux et aimant mieux.** Finie la guerre avec une bonne nutrition et de bons nutriments variés et vivants. Pas des nutriments qui n'en ont que le nom, mais des nutriments qui se caractérisent par le résultat, c'est-à-dire qui rendent vigoureux. N'oubliez pas cette définition: **la Santé, c'est l'expression de votre Force Vitale.**

ÉTAPES CÉRÉBRALE, MUSCULAIRE ET VISCÉRALE: NOS OUVRIERS SE NOURRISSENT

1. Le cerveau

Le cerveau reçoit le sang presque directement du cœur par les artères vertébrales et carotides. C'est pour cela que la haute pression artérielle se répercute si vite à la tête par une sensation de bouffée pulsatile. Quelquefois, les vaisseaux peuvent même éclater, et c'est l'hémorragie cérébrale qui paralyse. Un cerveau bien nourri peut accomplir son rôle de coordonner, par les hormones, nos viscères dans leur action d'immunité, dans leur fonction de mouvement et dans leurs fonctions de circulation, de digestion et de respiration. Un cerveau bien nourri garde un isolant sur ses nerfs pour avoir un courant électrique plus rapide, évitant ainsi la sclérose en plaques. La myéline recouvre les nerfs qui servent. Un cerveau bien nourri commande bien, mémorise bien et coordonne bien le rôle des glandes et des muscles. Il reçoit comme il se doit les informations de ses récepteurs sensoriels. En un mot, il agit dans l'harmonie.

2. Les muscles

Nous avons six cents muscles ou ouvriers pour agir (voir schéma 9). Ils sont réveillés par la friction de la peau, le brossage. Les muscles actifs aspirent d'une certaine façon leur sang et réduisent jusqu'à un certain point le travail de pompage du cœur, tout en favorisant une accélération de la circulation cérébrale et viscérale. C'est sans doute pour cela que Saint Augustin constatait que l'homme actif n'a qu'un démon (entendez maladie) pour le tenter, alors que l'oisif en a des légions qui l'assaillent et le font tomber. Cherchez à agir et agissez par l'Amour.

La nutrition des muscles va dépendre de leur activité et de leur effort. Avec une bonne nutrition et ces deux préalables, le volume, la force, l'endurance et la persévérance deviennent des vertus musculaires.

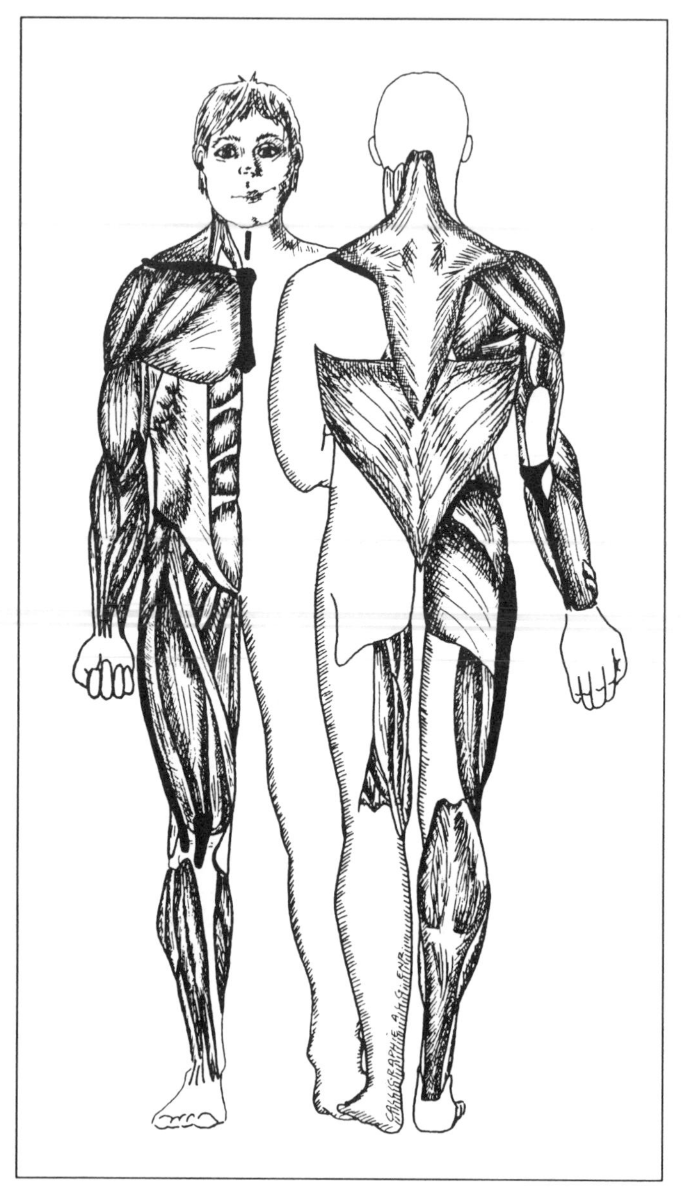

Schéma 9 – LES MUSCLES

3. Les viscères

Le sang retourne nourrir les viscères afin qu'ils puissent nous redonner continuellement un sang purifié, nutritif, oxygéné et hormonisé.

ÉTAPE NETTOYANTE: LE MÉTIER DE VIDANGEUR

Quand le sang nutritif a nourri les cellules, il se retire, entraînant avec lui les déchets, tout comme le système lymphatique le fait pendant l'action. Par les veines, le sang remplit un rôle de vidangeur. Le carbone du sang revient par les veines et est expulsé en gaz par les poumons. Les déchets solubles et liquides sont expulsés en urine lors de leur passage dans le filtre des reins et de leurs glomérules. Les déchets du sang sont aussi filtrés par la rate, les glandes sécrétoires, la sueur, la bile, le sébum. Ce sont nos organes émonctoires.

Ce que nous rejetons, par contre, la Nature peut le réutiliser. Ce qui n'est pas vrai des molécules synthétiques des industries de guerre, ni des industries chimiques. **Il faut du respect pour tout ce qui entre par notre bouche. Il faut du respect pour la Nature vivante qui se sacrifie afin que nous puissions parvenir à la Conscience du Créateur et y conduire les autres. Il faut la foi tant que nous ne comprenons pas et même encore plus de confiance en la Nature si nous voulons guérir par les Forces d'en haut. Mais c'est possible par la prière bien faite.**

Pendant ce temps, nos déchets solides sont demeurés dans l'intestin et le circuit que nous venons de faire est celui de l'énergie sanguine. Mais les déchets insolubles passeront au gros intestin ou au côlon pour être évacués par l'anus. Le court séjour que devrait faire nos déchets solides dans le côlon permet aux bactéries (ferments lactiques) qui s'y trouvent de provoquer une fermentation qui nous donne encore quelques vitamines qui vont au foie. En plus, le gros intestin peut servir de réserve d'urgence en eau; il sait filtrer s'il le faut. Par contre, un trop long séjour de nos déchets solides dans le côlon peut tellement accroître la prolifération des bactéries que celles-ci, produisant des déchets appelés toxines, peuvent nous intoxiquer. En effet, le sang, en puisant ce qu'il y a dans les intestins, puise aussi ces toxines qui peuvent atteindre le foie et provoquer des stases hépatiques, de la congestion, des hépatites virales et même des cancers.

Soyez prudent. **Prenez des fibres et beaucoup d'eau à tous les jours et soyez actif dans le service au prochain et vous libérerez ainsi votre côlon de vos déchets.** Dans la terre, vos déchets activeront les bactéries du sol qui feront de l'azote et des minéraux actifs pour les plantes qui reviendront plus saines sur votre table. Rien ne se perd.

Vous comprenez de mieux en mieux, j'en suis certain. Et comme la vie sera belle quand on saura faire les rectifications qu'il faut avant qu'apparaisse la maladie. Nous allons maintenant apprendre dans le chapitre suivant comment nos aliments peuvent nous maintenir en santé.

CHAPITRE 8
VOS ALIMENTS ET L'ALIMENTATION

La Nature ne souffre pas que nous vivions en dehors de ses lois qui tentent de maintenir l'équilibre en tout. Je ne parle pas ici d'un équilibre fixe comme celui du poteau de téléphone; je parle plutôt d'un équilibre mobile comme celui du balancier ou encore mieux celui du gyroscope, de la toupie si vous préférez. Il faut vivre en apprenant et il faut varier en apprenant. **La Nature nous offre la variété d'aliments dont nous avons besoin: des aliments vivants dont il faut conserver la vie à partir du moment de leur croissance dans le sol nourricier, en passant par la cueillette, jusqu'à ce que ces aliments pénètrent notre système digestif.** Tout ce qui se passe en dedans est fait à la température (37,5°C), à la noirceur et dans les conditions d'acidité et d'alcalinité souhaitables.

Quelles sont les sortes d'aliments que la Nature nous offre ? Le sol minéral est capté par les plantes, et les plantes sont captées par les animaux aquatiques, amphibies et terrestres. Comme nous appartenons au règne animal, nous pouvons donc nous nourrir comme eux: 80% de plantes et 20% de chair animale. Les deux seront nourrissants, quoique l'animal ne doit pas avoir été tué dans la violence, mais plutôt dans un esprit de sacrifice pour la table de l'être humain. La plante a une meilleure valeur alimentaire si nous lui laissons le temps d'acquérir sa maturité, de se gorger de vitamines et de minéraux, d'hydrates de carbone, d'huile, de protéines et d'eau. Différents plants sauvages poussent librement selon ce que permettent les terrains, alors que l'être humain en a apprivoisé quelques variétés dans ses potagers.

Chaque partie de la plante offre à notre organisme des éléments différents pour entretenir sa vitalité, que ce soit la racine, la tige, la sève, les feuilles, les fleurs et les fruits avec leur amande.

LA SAGESSE DE LA TRADITION

La tradition disait que nous pouvions retrouver dans les racines les remèdes organiques, dans les tiges et l'écorce les remèdes pour notre musculature et nos os, dans les feuilles, les fleurs et les fruits ceux pour le cerveau et les nerfs et, dans la sève, les remèdes pour le sang. Cette tradition nous vient de la culture amérindienne. De plus, on nous faisait observer que lorsqu'un animal est blessé dans la Nature, il se couche sur sa plaie pour que celle-ci soit en contact avec le sol. Vous avez sans aucun doute déjà remarqué que le chien, pourtant reconnu comme un carnivore, retourne manger de l'herbe et boit de l'eau pour se désintoxiquer lorsqu'il est malade.

Nos observations peuvent aussi s'étendre à nos grands-parents: quand nous étions malades ou que l'entrain manquait, nos grands-mères nous libéraient le gros intestin avec une légère purgation, suivie d'une ré-alimentation constituée de légumes, de riz et d'un bouillon maigre de poulet. Pour eux, faire une cure était très réaliste. **Si dans la langue anglaise le mot «cure» signifie guérir, il n'en demeure pas moins que «curer» en français a bien le sens de nettoyer, rendre propre.** Et pour cela, il fallait faire fonctionner le gros intestin: les laxatifs doux non huileux et les fibres alimentaires étaient appropriés.

La tradition nous enseignait aussi que **le chemin au cœur de l'homme passe par l'estomac.** Nous pourrions paraphraser en disant que le chemin au cœur ou au courage des humains passe par l'estomac (le stoma) ou la bouche. C'est-à-dire que ce sont les aliments dont nous nous nourrissons qui nous fournissent l'énergie et le courage. On croyait qu'avoir bon appétit était synonyme de bonne santé. De plus, les familles nombreuses qui ont été décimées par la maladie, ont souvent eu une mère qui ne s'alimentait pas bien, ou des parents très tolérants, manquant de discipline alimentaire. Encore aujourd'hui, les familles sans discipline alimentaire souffrent de beaucoup de maladies. Il est également reconnu que les «petits-becs-à-table» sont des individus de faible santé et très peu courageux.

Les bases alimentaires de nos ancêtres reposaient sur le gruau, le sarrazin, les légumes et plantes sauvages, les patates, les poules et les produits de la pêche ou de la chasse. Comme fruits, ils consommaient des baies sauvages, des pommes, des groseilles, des noisettes et des fèves au lard. On buvait alors du lait frais et on mangeait des œufs frais et du beurre. Ceux qui ne mangeaient que du pain blanc, du sucre et des confitures étaient malades très tôt et mouraient d'infections sévères.

Déjà à cette époque, les mets raffinés gardaient les gens faibles, anémiques et souvent tuberculeux. D'autre part, le travail de la terre rendait les muscles solides; les enfants commençaient même leur journée par le travail de la terre. C'est elle qui nous donnait la vigueur et, conséquemment, nous conservait en santé pour réaliser nos rêves en grandissant.

Aujourd'hui, trop de gens ne touchent plus à la terre, ignorent le goût et les effets d'une nourriture fraîche et ne savent pas encore que le secret de la santé se trouve dans des aliments crus et variés. Ils ont soif et c'est à l'eau qu'ils pensent en dernier. Ils pensent que la bouillie raffinée qu'on leur offre comme lait possède les vertus du lait frais. Ils croient manger de la viande et ce sont des abats hachés qu'on leur offre au lieu de les donner, comme jadis, aux cochons sur la ferme. C'est assez. Il faut exiger, il faut toucher la terre, il faut encourager les cultivateurs à la polyvalence et non à l'industrie, il faut que nos jeunes apprennent à connaître le travail de la ferme polyvalente et le travail productif de santé.

LES GROUPES D'ALIMENTS (selon le Guide alimentaire canadien)

Les aliments ont été divisés en quatre groupes pour nous inciter à varier notre menu à chacun de nos repas. Il y a:

1. Le groupe des produits laitiers;
2. Le groupe des fruits et légumes;
3. Le groupe des céréales;
4. Le groupe des viandes et de ses substituts (légumineuses ou fèves). J'y ajoute l'eau que nous oublions trop souvent.

Chacun de nos repas devrait donc posséder un aliment de chacun des groupes. Quand au volume de ce que nous consommons, il devrait être en fonction de notre faim et de nos dépenses énergétiques. C'est simple, n'est-ce pas ? Pourtant, selon une enquête, à peine 30% de la population en Amérique mange de cette façon.

De plus, même si les aliments sont bien identifiés, il y a des variables qu'il faut considérer. Les aliments cueillis avant maturité manquent de minéraux et de vitamines ainsi que d'hydrates de carbone. Les aliments arrosés avec des préservatifs polluent les assiettes et les tubes digestifs ainsi que le foie. Les aliments pré-cuits sont des aliments dont les nutriments sont en partie détruits. Les aliments irradiés sont plastifiés et morts. L'eau des aqueducs est pleine de polluants chimiques et organiques. Ce n'est pas pour rien que la stérilité et les cancers touchent toutes les couches de la société. Autre facteur important, 65% des mères ne sont pas au foyer pour préparer les repas, et le père et les enfants ne participent plus à cette préparation. Finies ou presque ces odeurs alimentaires qui embaumaient les maisons. On passe régulièrement par-dessus le petit déjeûner et les familles mangent de plus en plus dans les restaurants et les auges du «fast-food». Pourtant, tout est en place pour que nous puissions bien manger. Si vous ne le faites pas, les malaises et les maladies vous guettent.

D'AUTRES GROUPES D'ALIMENTS

Il est bon de distinguer plus de groupes alimentaires dans ce que la Nature nous offre. Retenez bien ceci: la Nature veut la variété alimentaire, les aliments vivants; la Nature veut des aliments sauvages autant que des cultivés; la Nature veut une alimentation avec des aliments frais, périssables parce que vivants. Je vous propose une autre façon de voir les groupes alimentaires. Distinguons les groupes suivants:

1. **Les produits céréaliers (céréales, farines, pâtes alimentaires, pains, gâteaux)**
   Les aliments de ce groupe nous offrent de l'amidon et des hydrates de carbone, des protéines, du complexe B, de la vitamine E et un peu de vitamine A, du fer et quelques autres minéraux. Ils contiennent également des fibres si nous prenons soin d'exiger de la farine complète au lieu de la farine blanche. S'il y a des additifs, la farine ou le pain se conservent presqu'indéfiniment, sinon ils moisissent en quelques jours. Aussi, il est préférable de réfrigérer. Nous n'avons pas besoin des embaumeurs (BHT, BTA).

2. **Les légumes (racines, tiges, feuilles, fleurs, et fruits)**
   Les légumes doivent être cueillis presqu'à maturité, sauf peut-être les racines. S'ils sont crus et non noyés dans l'eau de cuisson, ils nous donnent des

minéraux et des vitamines hydrosolubles dans les vitamines B, C. Il nous en faut deux fois par jour et en petites quantités de chacune des couleurs, si possible d'origine différente: racines, tiges, feuilles, etc. Si nous les prenons en conserve, ou que nous les cuisons, il est préférable de faire une soupe aux légumes. De plus, les légumes nous apportent des fibres.

3. **Les fruits**
Les fruits ne comprennent pas seulement les agrumes comme les oranges, les citrons, les pamplemousses, les limes et les tomates. Il y a aussi les fruits plus amidonnés tels que les bananes, les pommes, les pêches, les poires et les fruits plus gras comme l'avocat, les dattes, les figues et j'en passe. Les fruits nous offrent beaucoup de vitamines C et B. Les fruits plus gras nous apportent des vitamines E et A et des huiles essentielles, comme nous avons dans les olives et le maïs. Ils nous procurent également beaucoup d'eau (80%) et des fibres alimentaires.

4. **Les légumineuses (noix, amandes, noisettes, arachides, fèves, graines de toutes sortes)**
Les légumineuses contiennent des fibres, des huiles essentielles, de la vitamine A et de la vitamine E. Elles contiennent aussi des protéines.

5. **Les plantes minérales**
Les plantes minérales, comme les champignons et les algues, offrent de l'azote, de la bêta-carotène, de l'iode et des minéraux en grande quantité et elles devraient faire partie de notre régime quotidien. On les oublie parce que nous n'avons pas été instruits sur leur valeur nutritive.

6. **Les œufs, le caviar ou les œufs de poisson**
Ce sont des aliments qui contiennent presque tous les éléments nutritifs et que nous pouvons consommer une fois par jour. La médecine, qui avait un peu

semé la panique en ce qui a trait au cholestérol des œufs, est revenue de son ignorance et s'attaque beaucoup plus maintenant aux charcuteries, aux hamburgers, aux aliments gras et aux fritures.

7. **Les poissons**
Les poissons d'eau douce pêchés près des centres industriels, dans des cours d'eau contaminés par les industries, présentent un peu de danger, mais nous devrions consommer une à deux fois par semaine des poissons de mer et quelquefois des fruits de mer. Ils apportent à notre alimentation des huiles essentielles, des vitamines (A, D et E). De plus, ils sont riches en calcium, magnésium, zinc, manganèse, phosphore et en protéines.

8. **Les produits laitiers (lait, beurre, fromage, yogourt)**
Les produits laitiers frais sont une bonne source de nutriments. Ils contiennent beaucoup de calcium, entre autres. Par contre, ils sont pauvres en phosphore et il est bon d'y pallier en consommant des fruits. Les produits laitiers contiennent de la vitamine A et la vitamine D est ajoutée lorsqu'ils sont pasteurisés ou cuits. Le temps et l'exposition à la lumière peuvent les inactiver. Mais déjà, nous commençons à voir des entreprises qui, en y ajoutant des additifs pour les conserver, veulent ainsi faire plus de profits. Ceci devient un autre danger pour la santé. Le beurre donne de la vitamine A, contient peu d'additifs et reçoit moins de manipulations industrielles que la margarine souvent faite avec des huiles extraites par chaleur afin d'en augmenter la quantité tout en en réduisant la valeur nutritive. Le beurre est plus naturel, mais le faire frire le rend nocif. Il ne faut pas le «manger à poignée» comme nous disons souvent. Ceux qui ont des lésions au tube digestif devraient trouver leur calcium et leur vitamine A ailleurs que dans les produits laitiers parce qu'ils ne peuvent en digérer le sucre de lactose

qui, en fermentant, irrite l'intestin au point de le faire saigner.

La quantité quotidienne de produits laitiers à consommer devrait varier entre 12 et 20 onces. On a souvent tendance à exagérer et cela n'est pas étranger à l'acné des adolescents. Souvent, leurs exagérations leur coupent l'appétit pour d'autres aliments sains et ils deviennent carencés en fruits et en légumes. D'autre part, le lait de nos villes est tellement transformé que ceux qui ont connu le lait frais ont peine à en reconnaître le goût et la saveur.

9. **Les viandes**
Il faut distinguer les viandes rouges des viandes blanches. Une trop grande consommation de viande rouge, particulièrement celle d'animaux tués de peur, entraîne la présence des toxines du «rigor mortem» auxquelles les arthritiques sont sensibles. Les animaux se vendant à la livre, les éleveurs font tout pour leur faire prendre du poids, mais ce poids n'est pas un indice de leur qualité nutritive. Il s'en suit que, trop souvent, leur chair contient des antibiotiques et des hormones.

Deux repas de viande par semaine suffisent. Les viandes de volaille et de bœuf offrent des protéines, des minéraux, de la vitamine B_{12}. Cependant, les viandes, comme les poissons et les produits laitiers, ne contiennent pas de fibres alimentaires. Aussi, il est bon de les accompagner de légumes et de fruits. La viande maigre de porc est souvent plus maigre que la viande de bœuf. Il faut éviter les charcuteries qui contiennent beaucoup de nitrites et dont la composition cache souvent des abats que vous ne consommeriez sûrement pas si vous les voyiez. Les abats riches en nutriments de toutes sortes sont la cervelle, le thymus ou le ris. Il ne faut pas oublier que le foie est un filtre et qu'il faut être prudent lorsqu'on l'achète en s'informant de ses origines. La même prudence est de rigueur pour les rognons qui, de plus, doivent être préparés méticuleusement.

10. **L'eau**

L'eau est devenue une source d'ennuis de toutes sortes. Il est de plus en plus difficile de trouver des eaux d'aqueducs qui ne sont pas souillées par des produits chimiques et même radioactifs, malgré qu'elles soient débarrassées des bactéries. Et cela est aussi vrai pour les gens des grandes villes industrielles que pour les gens de la campagne qui, motivés par le rendement et le profit à tout prix, arrosent à pleins camions leurs champs avec des insecticides et des pesticides, ignorants ainsi les lois de la culture biologique. Le travail de la terre étant très accaparant, les cultivateurs sont souvent la proie d'intermédiaires sociaux et économiques sans scrupule. Il faudrait que les jeunes de nos villes soient encouragés à faire du travail à la ferme, quitte à ajuster les périodes scolaires en conséquence. Jamais je n'oublierai ce que j'y ai appris de la Nature et mon rêve sera toujours d'y retourner d'une façon ou d'une autre quand le temps sera venu. C'est là que la culture, même intellectuelle, y commence. Ça fait des bras, des torses, de bonnes colonnes, de bonnes jambes et une mentalité pleine de ressources et de solutions. Comme le rythme y est lent, on y apprend la patience. Regardez les communautés de moines qui cultivent la terre et mesurez leur longévité et leur vitalité. Vous comprendrez pourquoi le travail dans la Nature est à la fois une prière, un acte de foi, un acte de charité, un acte d'espérance, un acte de contrition et un acte d'harmonie avec le Créateur et les créatures...

L'eau devient une denrée à purifier et il est nécessaire de retourner aux sources des flancs sud-est des montagnes, qui sont des anciens glaciers recouverts de sédiments. Nos besoins en eau sont de 30 à 60 onces par jour. L'eau est un élément qui transporte, qui favorise les échanges, qui purifie et garde saines les chairs vivantes humaines. Rien de ce qui est liquide ne peut la remplacer, et surtout pas les jus et encore moins les liqueurs douces.

Enfin, nous devons travailler pour garder vivant le menu que nous apporte la Nature. Tout ce qui est fait longtemps à l'avance devrait se conserver au moins par réfrigération quand ce n'est pas possible autrement. **La mère qui sacrifie son temps à la préparation culinaire devrait être reconnue à la fois comme une femme cultivée, une femme médecin, une femme prêtre et une femme dirigeante d'entreprise.** Parce qu'elle est là et qu'elle accomplit adéquatement cette tâche, les enfants naissent à terme comme un fruit mûr venant d'un bon sol. Les enfants sont sains et ne coûtent rien en soins médicaux. Les pères ont à déjeuner le matin et demeurent courageux et vigoureux devant leurs responsabilités.

L'harmonie règne lorsque les estomacs peuvent nourrir le sang et en faire une sève riche. Les maisons embaument et la fidélité y est présente, car les humains, quand ils cherchent ailleurs, cherchent bien plus une table nourrissante qu'un autre lit. Questionnez les couples séparés comme je l'ai fait, et vous saurez. Très souvent les divorces commencent lorsque tous les membres de la famille ne sont pas ensemble au déjeuner le matin, et non lorsque les parents ne sont pas ensemble au lit le soir.

Le repas du matin devrait être un festin de roi, le midi celui d'un prince et le soir celui d'une reine. Il ne faut pas oublier que le jeûne entre les repas, sauf pour l'eau ou le fruit, est de mise dans toute bonne discipline alimentaire. Mangez à table, au repas quand vous avez faim et attendez le repas suivant si vous n'avez pas faim. Mangez autant avec votre nez qu'avec votre bouche et vos mains. Mangez en gardant un peu de faim. Mangez des miettes variées et vivantes, plutôt que d'abondance. Mangez après un jeûne et non avec un ventre silencieux. Ne festoyez qu'après le sacrifice d'un ou deux repas, sinon vous mourrez de la fourchette. Mangez lorsque votre gros intestin est vidangé, sinon vous vous empoisonnerez. Mangez quand vous avez connu au préalable l'activité, sinon votre repas demeurera dans l'estomac. Mangez lentement et mastiquez bien, car le trésor de notre nutrition est enfoui dans les fibres des aliments et seuls les persévérants le trouvent. Mangez dans la joie et le partage du pain vivant, sinon les aliments morts vous feront crier de douleur. Partagez votre table avec un démuni qui demande et non avec le plaignard qui abuse. Mangez souvent dans le silence afin d'entendre le chuchotement et le sourire de vos aliments. Mangez avec un esprit de partage afin d'éviter les excès. Mangez des aliments vivants en rendant grâce au Créateur, et demandez-lui pardon pour les aliments morts que votre paresse vous a fait consommer. Alors vous connaîtrez la Santé, la fertilité, la richesse de ceux qui vivent et non la peine de ceux qui meurent.

Mais est-il trop tard si la maladie s'est déjà installée et qu'elle fait crier vos cellules au secours ? C'est ce que nous verrons dans les prochains chapitres.

CHAPITRE 9
LES TUEURS MODERNES

Nous avons pénétré plus avant dans la compréhension de notre fonctionnement. Nous avons vu que la Nature est un maître intransigeant, animé d'une volonté aveugle d'harmonie en tout et qui accepte notre besoin inconscient de mort, de maladie ou de souffrance afin de nous éveiller à son existence. Ce Maître ne fait pas passer d'autres examens et nous avons à supporter le fardeau douloureux de nos erreurs ou de nos errances. À travers tout cela, **le vrai médecin a comme tâche de vous interpréter les dictées douloureuses de vos écarts.**

LES PRINCIPAUX TUEURS

Dans un numéro de la revue American Health (août 1987), on notait que 1.5 millions d'Américains décèdent chaque année de cinq causes majeures. Ces cinq tueurs sont les maladies cardiaques, le cancer du côlon, le cancer du poumon, l'hypertension artérielle et ses conséquences, les accidents d'automobile et les maladies pulmonaires. Tout cela est une conséquence de notre façon de vivre et de nous alimenter. Cinq meurtriers de l'être humain et cinq meurtriers inventés par les humains. **L'ambition tue**

son homme, dit-on. L'ambition fait oublier les repas, enlève le temps pour les préparer, fait oublier de se relaxer, de se reposer et de faire des exercices au grand air.

La faim et la soif sont deux des sens que la Nature nous a donnés, comme à toutes les espèces vivantes d'ailleurs. Nous ne savons pas comment y répondre et nous ne prenons pas le temps d'y répondre. Après un certain temps, la faim s'allie des ouvriers qui s'appellent la douleur et la souffrance. Les tissus se mettent à parler. Le cœur fait mal, l'estomac brûle, les muscles se crampent, les os enflent et les jointures s'ankylosent. Le manque d'énergie crie après le sucre; le manque de courage crie après le salé. Le tissu nerveux développe l'aigreur et la bile; la peau sèche, fendille et s'irrite; les dents tombent faute de mastication. Le sang ne circulant plus, les extrémités des membres sont froides. Le cerveau, quant à lui, témoigne de sa famine par des trous de mémoire. La vue s'obscurcit et les glandes lacrymales sont à sec. Le foie s'engorge, les égoûts s'emplissent, le pancréas paresse, les cavités en stase, comme le rein et la vésicule biliaire, se calcifient. Le cœur se serre ou devient gros. Le crâne devient pulsatif et migraineux, les jambes s'affaiblissent, la colonne se tord et les nerfs ne se contrôlent plus. Nous dégénérons, souffrants, malades, et pour compenser, nous devons nous payer des assurances vie, de la sécurité, du confort et de la stabilité de notre vivant, comme si nous nous préparions à mourir. **Nous mourons, au lieu de mûrir.**

Nos cellules, nos tissus, nos organes, en bref notre corps entier a faim. Comment le nourrir et, surtout, comment avons-nous pu oublier de le faire ? Avec quoi allons-nous lui donner une nouvelle vigueur, une nouvelle santé ? Est-ce que la peur de la mort dépassera notre espoir et notre courage de vivre ? Qui fera taire ces voix de la douleur, de la faiblesse et de la souffrance ? Qui nous aidera à cicatriser les plaies de la maladie qui nous atteint ? Qui ajoutera à nos repas débilitants l'énergie nécessaire pour remplir les vides laissés par le raffinement, la chimification, l'irradiation et la paresse ? **Qui nous aidera à sauvegarder la jeunesse qui nous reste ? Qui retardera la vieillesse que nous associons à notre affaiblissement, alors que vieillir ne veut pas dire s'affaiblir, mais plutôt s'assagir de nos excès, rester courageux devant la demande pour nos manques et pleins d'expériences pour guider la jeunesse des générations qui nous suivent ? Qui fera tout cela ? Mais vous... en ayant la Foi en la Vie !**

Au début du siècle, afin d'enrayer les maladies infectieuses, nous avons dû mettre l'accent sur la propreté et l'hygiène dans nos maisons, dans nos aliments et sur nous-même ? On a aussi amélioré l'éclairage pour nos yeux. Le bruit n'était pas trop intense à l'époque, mais aujourd'hui nous devons ajouter l'hygiène du bruit et même des odeurs à celle des yeux et de la peau. L'eau a été contrôlée pour les bactéries, de même que le lait et les viandes. De cette façon, nous avons réussi à contrôler les maladies infectieuses. Mais de nos jours, nous sommes infectés à cause de la faiblesse de notre résistance. Nos aliments sont vidés de leur vitalité et de ces particules qui devaient la leur donner.

Aujourd'hui, le fléau n'est plus le manque d'hygiène, mais peut-être une certaine forme d'excès. **Nous avons tellement appliqué à outrance ce principe d'hygiène et de propreté que nous l'avons confondu avec la stérilisation.** Nous avons commencé par stériliser les mains du chirurgien; puis les cochons et les coqs; ensuite nous avons stérilisé le lait, l'eau; puis les aliments en les cuisant, en y ajoutant des nitrites, des sulfites et de la tartrazine. Ensuite, nous en sommes venus à stériliser les femmes et, maintenant, nous stérilisons les enfants. Ce sera la fin de l'ère du Poisson et commencera l'ère du Verseau, ère de Lumière, de Compréhension, d'Amour en nous tous.

Heureusement, tous les esprits n'ont pas été stérilisés. Le mien, comme celui de plusieurs autres, semble encore fertile. Viendra l'ère du Verseau sur la grande horloge zodiaque, mais cela n'a rien à voir avec l'astrologie, ne vous en faites pas.

Les uns après les autres, les chercheurs sont venus nous dire que nous mangions trop de graisse, ou trop de sucre, ou trop de sel, trop de synthétique, ou encore pas assez de fibres, pas assez de ceci et pas assez de cela. À tout écouter, sans essayer de comprendre, les gens en savent moins et sont désorientés. Essayons de voir clair dans tout cela.

En somme, tout ce qu'on nous dit, c'est que nous mangeons mal, que nous consommons de mauvais aliments qui n'offrent pas assez de nutriments. On en donne aux plantes, aux oiseaux, aux chiens, aux chats, aux animaux (protéines, vitamines et minéraux), mais pas aux humains. On aime mieux les garder dans l'ignorance, dans la peur de la vie et de la mort, et leur vendre des assurances vie et maladie. On aime mieux trouver des raisons qui haussent les primes, plutôt que des raisons qui les annuleraient.

Mais qu'est-ce que le bon sens nous dicte ? Si nous mangeons **trop de fritures**, cela ne nous enlève-t-il pas la faim pour des légumes et des fruits ? Est-ce que le **goût de salé** qui nous fait consommer trop de sel de table (chlorure de sodium avec un peu d'iode) ne devrait pas plutôt être interprété comme un goût de minéraux multiples (fer, calcium, magnésium, zinc, manganèse, sélénium, cuivre, cobalt, etc.) ? Est-ce que le **goût pour le sucré** que nous satisfaisons avec du sucre raffiné ne serait pas plutôt un besoin d'énergie que nous devrions satisfaire par des hydrates de carbone non raffinés de leur minéraux afin que cette énergie se prolonge dans le temps ? Consommons-nous **trop d'alcool**, ou bien ne serait-ce pas plutôt que nous avons besoin de plus de minéraux et de repos pour nos nerfs ? Consommons-nous **trop de gras**, ou n'est-ce pas plutôt que le raffinement rend les aliments fades et sans goût en en détruisant les arômes huileux ? Nous avons fait des erreurs d'interprétation parce que nous n'avons été éduqués qu'avec cinq sens, sans apprendre à interpréter les autres. **Les vrais tueurs, les vrais commandos de la mort sont dans les aliments vidés de leurs nutriments que nous plaçons dans notre assiette.**

D'AUTRES TUEURS

Il y a encore d'autres tueurs: l'**inertie** et le **sédentarisme** en sont deux. Ils maintiennent les muscles inactifs, ramollis, tendus. Consécutivement, le cœur doit augmenter son pompage contre une résistance musculaire, ce qui l'oblige à presque doubler son travail. La pression monte et blesse les vaisseaux qui manquent de ces matières élastiques que la nutrition ne leur fournit plus. Voilà notre individu en danger d'anévrisme de l'aorte, en danger d'accident cérébro-vasculaire. De plus, des muscles faibles entraînent l'être humain à tout faire pour que son travail soit fait par les autres. Naissent alors la conquête, les abus d'autorité, les règles du jeu, etc. Un humain vigoureux offre ses services aux autres; il ne vend pas le service des autres et ne laisse pas les autres vendre leurs services. C'est l'échange et le partage de l'équilibre.

Il y a aussi les **tueurs intellectuels** qui sont à l'œuvre dans le système scolaire. L'enfant ne pense plus. On ne lui donne pas des connaissances, on le programme pour appliquer des techniques. Il ne va plus qu'à l'école du savoir et il en sort souvent sans le savoir-faire. Il y a déjà eu l'école du faire qui nous apportait le savoir et qui nous conduisait à savoir-le-faire. Où est-elle cette école qui ne prend pas seulement en considération les diplômes, mais plutôt le courage et le résultat qui se perfectionne avec la pratique ? Cette école fait les maîtres et non les professeurs. C'était l'écologie des forêts, des champs, du grand air et de la vue de la Création.

Il y a enfin les **tueurs d'esprit**, ceux qui payent à ne rien faire, à ne pas penser, qui découragent l'effort d'un essai, qui aident avant que l'autre fasse un essai. Ce sont ceux qui cherchent les fronts communs, au lieu d'un esprit commun; ceux qui divisent afin de mieux régner, au lieu de renforcer en unissant. On parle de ceux qui endorment l'autre au lieu de l'éveiller à son autonomie; qui flattent en tuant ou en soulageant les effets de la souffrance au lieu de faire une recherche de ses causes; qui encouragent la consommation sans la compréhension des besoins. Enfin, ce sont ceux qui assurent la mort au lieu de promouvoir la vie, une vie libre et harmonieuse.

CHAPITRE 10

LES NUTRIMENTS ET LA NUTRITION DE BASE

Puisqu'il faut manger pour survivre, puisque notre nourriture doit être complète en nutriments afin que notre cellule puisse fabriquer ce dont elle a besoin pour croître, se multiplier, remplir ses fonctions de sécrétion, enregistrer le message des autres cellules et excréter ses déchets. Puisqu'il faut que la Nature nous offre ce menu varié à partir des plantes que nous apprivoisons et des plantes sauvages; puisque nous savons, grâce à une certaine science, ce qui nous nourrit le mieux, il serait bon maintenant de voir en profondeur les petits éléments que nous appelons les nutriments et qui sont essentiels pour vivre en santé.

Avant de présenter les éléments de base qui devraient constituer notre nutrition réelle, permettez-moi de vous donner les composantes de notre machinerie humaine afin de mieux comprendre le rôle de la nutrition dans notre santé.

COMPOSITION DE LA MACHINE HUMAINE [1]

Notre machine humaine est composée de trois parties:

1. **Le cerveau et les nerfs** qui, en plus de se nourrir des expériences sensorielles diverses, se nourrissent aussi par le sang qui leur apporte ce qu'il faut à partir de ce que nous mangeons. En retour, le cerveau émet des ondes électromagnétiques pour diriger toute la machinerie humaine dans sa croissance, sa défense et son adaptation.

2. **Les muscles et les os articulés** ont comme fonction de nous mouvoir. Éveillés par le sens tactile et la gravité, ils sont en quête de la posture dynamique qui nécessite le moins d'effort pour le plus d'efficacité. Grâce au déroulement équilibré du pas et à une colonne vertébrale bien érigée qui laissera passer les commandes électriques du cerveau, ils nous maintiennent ainsi debout, en état de marcher avec une oscillation propre à l'être humain. Mais ce système musculo-squelettique doit renouveler ses forces et ses structures en se nourrissant lui aussi du sang énergétique fourni par un bon régime alimentaire.

3. **Les viscères dans la poitrine et le ventre** qui, tout en travaillant au processus de transformation des éléments de l'air, de l'eau et du sol (les aliments), se nourrissent à même cette énergie fruit de leur travail.

Ces trois composantes du corps humain sont intimement interdépendantes. **Et c'est de leur harmonie que naît la Santé.** Le tout est lié par le domaine affectif animé par l'esprit. Il en émane un champ de force magnétique (le psi) qui rejoint à son tour l'Esprit Universel,

---

1. Pour plus de renseignements sur ce sujet, consultez **L'Apprentissage à l'écoute des enfants** (1980) du même auteur.

le Grand-Esprit ou le Saint-Esprit. Comment ne pas prier alors ? L'esprit transcende la matière et la matière harmonisée provoque une émanation de l'esprit. **La Santé, c'est cela: l'expression de notre Force Vitale.** Retenez toujours cette définition.

Nous voyons bien que les fonctions du cerveau, des muscles, des os et des viscères diffèrent, mais ces composantes ont un point en commun: toutes doivent se nourrir.

La connaissance scientifique de ce qui nourrit est assez bien développée puisqu'on peut faire vivre des cellules en milieu de culture de laboratoire depuis cinquante ans. Aussi, depuis quelques années, des sujets comateux et d'autres avec de graves problèmes de nutrition (pour des raisons intestinales ou d'anorexie) ont pu être gardés en vie avec des solutés nutritifs. Quelquefois même, ils ont vu leur santé s'améliorer. Même des enfants nés prématurément sont gardés en vie avec de tels solutés parce qu'ils contiennent les micro-nutriments que je vais maintenant vous présenter.

LES MACRONUTRIMENTS

LES HYDRATES DE CARBONE

La base de notre nutrition est formée par les hydrates de carbone qui occupent environ 65% de notre régime alimentaire. Ce sont des amidons, du glycogène ou des sucres complexes. De ce total, 10% devrait être réservé aux sucres simples venant des fruits (très peu de sucre de table). Malheureusement, les sucres raffinés composent souvent jusqu'à 30% de notre régime alimentaire alors qu'ils causent de l'hyperacidité à l'estomac (œsophagite de reflux), font fondre les os (arthrose), brûlent le pancréas (diabète, obésité) et stressent nos glandes surrénales (hypoglycémie).

Les **fibres alimentaires** forment 15% des hydrates de carbone. Ce ne sont pas des aliments proprement dits parce qu'elles ne se rendent pas jusqu'au sang, mais ces fibres ont des rôles importants à jouer. Elles maintiennent l'intégrité des parois de nos racines que sont les intestins et nous protègent des excès de gras, des assimilations excessives de sucre raffiné, des toxines et des déchets entraînant le cancer. Donc, environ 50% des hydrates de carbone servent à notre nutrition et 15% (les fibres) à nettoyer. 55% de nos calories totales sont des sucres qui nous procurent 4 calories par gramme.

LES LIPIDES OU LES GRAISSES

Le deuxième échelon de notre nutrition est composé des lipides (ou des graisses). Ils constituent 20-25% de nos calories en donnant 9 calories par gramme. Ce qu'il faut savoir sur ces matières grasses, c'est qu'elles vont servir de véhicules à quatre vitamines essentielles: les vitamines A, D, E et K. La bile du foie et de la vésicule biliaire nous aide à les assimiler. Si nous n'avons plus de vésicule biliaire, nous devons augmenter l'apport de vitamines et d'acides gras afin d'éviter les problèmes de Cicatrisation, de Calcification des os, de Coagulation du sang, de Canalisation des artères et de Cancérisation de la peau et des muqueuses respiratoires, digestives, rénales et génitales (les cinq C).

Les graisses devront être capables de se combiner à des minéraux pour devenir solubles facilement. C'est pour cela qu'il faut que les liens des molécules doivent en partie demeurer libres. Ce sont alors des huiles non-saturées ou poly-insaturées (huiles de première pression à froid).

LES PROTÉINES

Le mot protéine signifie «premier aliment». Les protéines constituent le troisième échelon de notre nutrition. Elles forment 15% de nos besoins caloriques et chaque gramme donne quatre calories. Si les sucres participent à la formation de l'ATP (adénosine triphosphate) (notre dynamite humaine) pour brûler et produire de la chaleur, si les graisses non-saturées sont de bons véhicules des vitamines et des substances formant les parois des cellules et que le noyau du cholestérol forme des hormones importantes, les protéines, quant à elles, forment les structures de tous nos tissus cellulaires. Ce sont les briques de notre édifice humain et les messagers des besoins équilibrés. Ces protéines sont formées à partir des acides aminés (20 à 22 différentes).

LES MICRONUTRIMENTS

LES VITAMINES ET MINÉRAUX

Les vitamines et les minéraux sont d'autres micronutriments très importants que nous verrons plus en détail dans un prochain chapitre.

En résumé, les besoins de notre machinerie humaine sont les suivants:

- 15% de protéines (20 à 22 acides aminés)
- 20% de matières grasses (acide linoléique)
- 65% de sucres complexes, de fibres et de sucres raffinés.

Cela fait 100% de nos besoins caloriques et énergétiques auxquels on doit ajouter 1.25 gramme de vitamines et minéraux.

Ajoutons à cela l'eau (1 000 ml) et l'oxygène et nous voyons qu'il suffit de peu de chose pour être vivants et en bonne santé. Là où cela se complique un peu, c'est lorsqu'il s'agit de préparer nos repas et de choisir la qualité nutritive de nos aliments.

Nous puisons nos protéines dans les viandes et les plantes. Nous devrions tirer 20% des protéines des viandes, volailles et poissons, du lait; 80% des plantes, c'est-à-dire des légumineuses, des légumes, des céréales.

Nous devrions obtenir nos matières grasses dans une proportion identique: 20 à 30% des matières grasses animales comme le lait et les viandes, et 70 à 80% des amandes, noix, huiles de première pression (pressées à froid), fruits comme l'avocat, céréales, olives, dattes, etc.

Nous devrions prendre 10% de nos sucres des fruits et 90% des amidons, des céréales, des pommes de terre, du riz, etc. et un peu de la viande et du lait.

Nos vitamines et nos minéraux sont présents si nous ne les avons pas détruits par une cuisson trop intense, si nous ne les avons pas noyés dans l'eau de cuisson que nous jetons. Si vous faites ces erreurs depuis de nombreuses années, vous êtes sûrement affaibli, malade peut-être. Vous l'êtes probablement aussi si l'industrie continue d'être aussi irrespectueuse de la valeur nutritive et énergétique des aliments; si vous vous êtes fié à la beauté de leur emballage (vous êtes emballé de rougeurs sur la peau); si vous vous êtes laissé séduire par leurs couleurs (vous en êtes pâle), par leurs goûts frauduleux (vous n'avez plus le goût de vivre).

Il ne reste qu'un seul choix: vivre en santé en sachant reconnaître les aliments sains. Comment? Vous savez bien qu'un enfant en santé est un enfant vigoureux et capable «de vous mener le diable» comme on entend parfois. Les enfants sages sont trop souvent des enfants malades. Les aliments morts ne pourrissent plus, ils ont été embaumés par le feu, l'irradiation, les nitrites. Même les microbes et les moisissures n'en veulent plus.

CHAPITRE 11
LES VITAMINES ET LES MINÉRAUX

Il ne suffit pas de dire que l'on veut retrouver une santé optimale pour que ça arrive. Il faut corriger son régime alimentaire, pallier à ses manques par une bonne complémentation et faire une activité physique régulière qui inclut tous les muscles.

Il faut donc prendre trois à quatre repas balancés par jour et, en moyenne, huit heures de repos par nuit. Voilà ce que nous dictent les exigences de notre vie de tous les jours.

Avant de décrire les vitamines et les minéraux et de donner leur action respective, j'aimerais faire deux remarques générales sur la complémentation:

- Il est presqu'inutile de prendre des vitamines et des minéraux multiples si vous n'y associez pas des protéines. En effet, les vitamines et les minéraux favorisent l'utilisation des protéines qui nous bâtissent.
- D'autre part, nous n'avons pas à ajouter des sucres et des graisses parce que, déjà, la population en général en prend trop.

LES VITAMINES

LA VITAMINE A (RÉTINOL) OU LA PROVITAMINE A (BÊTA-CAROTÈNE)

Cette vitamine (animale) ou provitamine (végétale) est absorbée avec les graisses si nous absorbons bien les graisses, ce qui nécessite une bonne fonction de la bile. Détruite par la chaleur et la cuisson, elle est emmagasinée dans notre organisme. Évitez donc d'en prendre plus de 20 000 unités internationales (ui) par jour.

Son action:

- Améliore la vision nocturne;
- Donne de la résistance aux voies digestives et respiratoires;
- Aide à la croissance, fait des os solides, des cheveux sains et une peau saine;
- Aide dans les cas d'hyperthyroïdie, d'acné, d'entérite et de colite, etc.

On retrouve le rétinol naturellement dans le beurre, le lait entier cru, le fromage, le jaune d'œuf, dans les poissons, et la bêta-carotène dans les légumes feuillus, les carottes, les patates sucrées, la cantaloupe, le melon de miel, la luzerne et les algues.

Faits à connaître:

- Ne pas la prendre avec de l'huile minérale;
- Travaille mieux avec les vitamines D, E, complexe-B, le calcium, le phosphore et le zinc;
- Protège la vitamine C de l'oxydation;
- Avec la vitamine C et la vitamine E, elle forme un bouclier protecteur des cellules contre les oxydases cancérigènes.

LES VITAMINES DU COMPLEXE-B

1. LA VITAMINE B_1 (THIAMINE)

La vitamine B_1 est soluble dans l'eau et n'est jamais emmagasinée, d'où la nécessité d'en avoir un apport quotidien. Les besoins en vitamine B_1 sont accrus dans les situations de stress, de maladie et de chirurgie. Il est préférable de la prendre avec les autres vitamines du complexe-B. La prise de vitamines du complexe-B va de pair avec la prise de protéines. L'alcool et le café en détruisent une grande quantité. Le besoin par jour est de 1,5 mg.

Son action:
- Aiguise l'appétit;
- Aide à la digestion des sucres;
- Combat les troubles du vertige et le mal du mouvement;
- Aide au fonctionnement des muscles;
- Améliore l'attitude mentale.

On la retrouve naturellement dans les grains entiers, le gruau, le foie, les légumes, les noix et arachides, la levure.

Fait à connaître:
Elle est active avec les vitamines B_2, B_5 (acide pantothénique), B_6 et B_{12} (acide folique).

2. LA VITAMINE B_2 (RIBOFLAVINE)

La vitamine B_2 est soluble dans l'eau et n'est pas emmagasinée. Elle est très dépendante du métabolisme des protéines. C'est la vitamine la plus souvent absente des régimes nord-américains. Elle n'est pas détruite par la chaleur comme la B_1, mais peut être perdue dans l'eau de cuisson. Elle est sensible à la lumière et son besoin augmente dans les situations de stress. Le besoin quotidien est de 1 à 3 mg.

Son action:
- Aide à la croissance, à la peau, aux cheveux et aux ongles;
- Diminue la fatigue des yeux;
- Aide à libérer l'énergie des graisses, des sucres et des protéines;
- Diminue les ulcères des lèvres, de la bouche et de la langue.

On la retrouve naturellement dans le foie, le lait, le yogourt, le fromage cottage, les légumes feuillus, le poisson et les rognons.

Fait à connaître:
Elle est active avec les vitamines du complexe B.

3. LA VITAMINE B_3 (ACIDE NICOTINIQUE, NIACINE)

La vitamine B_3 est faite à partir du tryptophane (acide aminé). Si nous sommes en carence de vitamines B_1, B_2, B_6, nous ne pouvons pas la fabriquer. Elle est essentielle pour la synthèse des hormones sexuelles, surrénaliennes, thyroïdiennes et de l'insuline. Elle procure un bon équilibre nerveux. Elle peut être détruite par l'eau et la chaleur. Le besoin quotidien est de 6 à 20 mg.

Son action:
- Accroît l'énergie disponible à partir de l'alimentation;
- Diminue les douleurs gastriques;
- Améliore la texture de la peau;
- Réduit les vertiges;
- Réduit la mauvaise haleine;
- Réduit la diarrhée et les ulcères buccaux.

On la retrouve naturellement dans le foie, la viande maigre, la volaille, le poisson, les œufs, le blé entier, les arachides, les noix, les amandes, l'avocat et la levure.

Faits à connaître:
- Peut donner des rougeurs si elle est prise l'estomac vide;
- Agit de concert avec les autres vitamines du complexe-B.

4. LA VITAMINE B_5 (ACIDE PANTOTHÉNIQUE)

L'acide pantothénique est une autre vitamine du complexe-B, soluble dans l'eau et qui peut être synthétisée par la flore bactérienne de l'intestin comme la biotine. Les antibiotiques empêchent cette synthèse. Elle est essentielle au fonctionnement de la glande surrénale et à la conversion des graisses en sucres et en énergie. Elle aide la synthèse des anticorps pour combattre les infections. Elle est détruite par la cuisson, la mise en conserve, la caféine, les antibiotiques et les sulfas. Le besoin quotidien est de 5 à 10 mg.

Son action:
- Réduit les effets adverses des antibiotiques;
- Aide la cicatrisation;
- Prévient la fatigue
- Favorise la synthèse des anticorps.

On la retrouve naturellement dans le foie, les rognons, la viande, le jaune d'œuf, la volaille, les grains entiers, le germe de blé, la mélasse, les noix et les légumes verts.

Fait à connaître:
Pensez à cette vitamine si vous êtes soumis à du stress et à des infections.

5. LA VITAMINE B_6 (PYRIDOXINE)

La vitamine B_6 est soluble dans l'eau. Elle est nécessaire pour la production des anticorps et des globules rouges, aide à l'absorption de la vitamine B_{12}, favorise la production d'une bonne acidité gastrique et travaille avec le magnésium pour le métabolisme des protéines. Le besoin quotidien est de 2 à 10 mg.

Son action:
- Prévient les problèmes nerveux et les troubles de la peau;
- Prévient le gonflement des mains et des pieds;
- Diminue les vomissements, les vertiges et le mal du mouvement;
- Réduit les douleurs prémenstruelles et les crampes musculaires;
- Agit un peu comme un diurétique naturel.

On la retrouve naturellement dans la viande, la volaille, les coquillages, le poisson, le lait, le germe de blé, le chou, la cantaloupe, la mélasse.

Faits à connaître:
- Peut être détruite ou en manque avec des médications au Rimifon, comme dans le traitement de la tuberculose (Rimifon, isoniazide);
- En association avec le zinc, diminue la nécessité de hautes doses d'insuline chez certains diabétiques.

6. LA BIOTINE (COENZYME K OU VITAMINE H)

La biotine est une vitamine du complexe-B soluble dans l'eau. Elle est synthétisée comme la vitamine K par les bactéries intestinales, mais peut être neutralisée par l'avidine dans le blanc d'œuf, par l'alcool, la cuisson et la mise en conserve. Le besoin quotidien est de 100 à 400 microgrammes.

Son action:
- Réduit les crampes musculaires;
- Maintient la peau saine;
- Diminue l'eczéma;
- Favorise un bon cuir chevelu et de bons cheveux.

On la retrouve naturellement dans le riz brun, le jaune d'œuf, les fruits, la levure.

Faits à connaître:
- Est très dispendieuse;
- Agit avec les vitamines A, B_2 et B_6.

7. LA VITAMINE B_{12} (COBALAMINE)

La vitamine B_{12} est soluble dans l'eau et est souvent nommée le cristal rouge. Elle agit bien, si elle est prise avec le calcium. Un mauvais fonctionnement de la thyroïde en réduit l'absorption et elle peut être détruite par l'alcool, la lumière, les acides et alcalis.

Son action:
- Augmente la croissance et l'appétit;
- Améliore la concentration, la mémoire et l'équilibre;
- Aide à la production des globules rouges;
- Agit sur le métabolisme des sucres, du gras et des protéines;
- Diminue l'irritabilité du système nerveux.

On la retrouve naturellement dans le foie, la viande, les œufs, les fruits de mer.

Faits à connaître:
- Une déficience en vitamine B_{12} peut être causée par une diète basse en vitamine B_1 et en acide folique (comme cela peut arriver lors d'une diète végétarienne). Une carence peut prendre 5 ans avant de se manifester;
- Une diète riche en protéines en requiert davantage; en absence d'acidité gastrique, elle est non assimilée à cause de l'inactivité du facteur intrinsèque;
- Travaille bien avec les vitamines A, E, C et celles du complexe B.

8. LA VITAMINE B_{13} (ACIDE OROTIQUE)

La vitamine B_{13} est soluble dans l'eau et peut être détruite par l'eau et la lumière.

Son action:
- Aiderait dans la sclérose en plaques et les maladies démyélinisantes.

On la retrouve naturellement dans les racines des légumes, le petit lait.

LA VITAMINE C (ACIDE ASCORBIQUE)

Cette vitamine n'est pas synthétisée par l'être humain. Elle est rapidement dépensée en situation de stress et par les fumeurs; s'élimine très vite si elle est prise avec de l'aspirine. Essentielle dans la formation du collagène (tissus de soutien), de la matrice des os, du cartilage; importante pour une bonne résistance des capillaires; favorise l'absorption du fer. Elle est détruite par le monoxide de carbone des grandes villes, l'eau, la cuisson, la lumière. On la recommande quand on soupçonne le syndrome de mort subite du nouveau-né.

Son action:
- Accroît la résistance à l'infection (si sa source est l'églantier et qu'elle n'est pas synthétique) (elle est associée aux bioflavanoïdes);
- Réduit l'effet des allergènes (en élévation histaminique, elle diminue et vice-versa);
- Est bénéfique dans le traitement de la mononucléose, des bronchites, des grippes, etc.;
- Est un peu laxative à hautes doses;
- Prévient le scorbut;
- Active la cicatrisation après une chirurgie;
- Diminue le cholestérol.

On la retrouve naturellement dans les agrumes, les fruits citrins, les tomates, les pommes de terre, les fraises, les légumes feuillus, la cantaloupe, le poivron, le chou-fleur, le persil.

Faits à connaître:
- S'élimine rapidement (une action prolongée nécessite une préparation spéciale;
- Peut être confondue avec le sucre dans un test d'urine;
- Le meilleur complément contient les complexes-C, bio-flavanoïdes, hespéridine, rutine, citrulline, qui sont souvent oubliés dans certaines formes commerciales;
- La forme naturelle se digère mieux que la synthétique.

LA CHOLINE

La choline, présente dans la lécithine, fait partie du groupe des vitamines B. C'est un émulsifiant des graisses un peu comme la bile. Elle est un médiateur chimique des cellules nerveuses et un détoxifiant naturel (méthyl au foie) par la formation des sels biliaires, avec la taurine. Par sa composante de myéline (perdue dans la sclérose en plaques), elle accélère le stimulus nerveux. Elle aide à la formation de l'acétylcholine, le médiateur chimique entre les nerfs. Elle peut être détruite par l'alcool, la mise en conserve et les antibiotiques sulfas.

Son action:
- Contrôle le cholestérol;
- Aide les pauvres mémoires;
- Améliore les facultés d'apprentissage;
- Protège le tissu hépatique (foie) contre l'accumulation pathologique de graisse;
- Favorise l'absorption des vitamines solubles dans les graisses (A, D, E et K).

On la retrouve naturellement dans le jaune d'œuf, le foie, la cervelle, le germe de blé, les légumineuses, les céréales, les produits laitiers. Les légumes verts, les huiles et les graisses raffinées et les fruits n'en contiennent que fort peu.

Faits à connaître:

- Une capsule de lécithine contient 244 mg d'inositol et de choline (nos besoins sont de 500 à 1 000 mg/jour);
- Aide à augmenter le phosphore du corps et, donc, accroît aussi la demande en calcium qui l'équilibre.

LA VITAMINE D (D_2: ERGOCALCIFÉROL; D_3: CHOLÉCALCIFÉROL)

La vitamine D est une vitamine soluble dans les graisses. Elle est aussi produite dans la peau par l'action des rayons ultra-violets du soleil si l'ensoleillement est suffisant. C'est le cholestérol de la peau qui se transforme. Les climats nuageux et le «smog» des grandes villes en diminuent la quantité absorbable par le soleil. Les huiles minérales et les malabsorptions en bloquent l'utilisation par le corps. Elle est activée au foie. Le besoin quotidien varie entre 400 et 1 000 ui.

Son action:

- Favorise l'utilisation du calcium et du phosphore;
- Aide dans le traitement des conjonctivites;
- Aide à se renforcer dans les cas de grippes, si jointe aux vitamines A et C;
- Est anti-rachitique et anti-ostéomalacique.

On la retrouve naturellement dans le lait (contient 400 ui par 30 onces), les sardines, le hareng, le saumon, le thon, l'huile de poisson, le flétan, la morue.

Faits à connaître:

- Est la vitamine anti-rachitique et empêche la décalcification des os;
- Peut s'emmagasiner (toxique à 25 000 ui par jour);
- Agit mieux sur les os si la vitamine C, A, et les protéines ont d'abord formé un bon collagène (osséine) à l'os;
- Agit mieux dans le traitement de l'ostéoporose si on y adjoint l'effort et l'exercice physique.

LA VITAMINE E (TOCOPHÉROL)

Huit sortes sont connues, mais l'alphatocophérol est la forme la plus active, en position dextrosique. C'est un anti-oxydant actif, prévenant l'oxydation de la vitamine A, du sélénium, de deux acides aminés et de la vitamine C. Elle peut être détruite par la chaleur, la congélation, l'oxygène, le fer, le chlore et l'huile minérale. Le besoin quotidien varie de 25 à 1 200 ui.

Son action:

- Donne de l'énergie et diminue la fatigue;
- Associée aux vitamines A et C, prévient le dommage aux parois cellulaires;
- Active la cicatrisation et empêche les kéloides dans leur forme active;
- Accélère la guérison des brûlures;
- Agit un peu comme anticoagulant et comme diurétique;
- Travaille mieux avec les vitamines du complexe-B et la vitamine C;
- Favoriserait l'action des prostaglandines, des glandes, comme on le croit de la vitamine C.

On la retrouve naturellement dans le germe de blé, l'huile végétale pressée à froid (première pression), le brocoli, le chou de Bruxelles, le blé entier, les œufs, l'épinard, le soya et les oléagineuses (amandes, etc.).

Faits à connaître:

- Ceux qui boivent de l'eau chlorée en ont un plus grand besoin;
- Ceux qui prennent des huiles saturées (extraites à chaud) en ont un plus grand besoin;
- 1 unité = 1 mg;
- Le fer inorganique (sulfate ferreux) détruit la vitamine E;
- Un manque de bile en diminue l'absorption (cholécystectomie);
- La prise d'huile minérale par les individus qui souffrent de constipation peut causer des carences.

L'ACIDE FOLIQUE

L'acide folique est une vitamine du groupe B, soluble dans l'eau. Il est vital dans la division cellulaire et la formation des globules rouges. Les contraceptifs le détruisent. Une haute dose de vitamine C accroît l'élimination de l'acide folique. L'emmagasinage prolongé des aliments le détruit. Une carence de cette vitamine rend insuffisante la production des anticorps. Le besoin quotidien est de 100 à 400 microgrammes.

Son action:
- Favorise une belle coloration rosée de la peau;
- Augmente l'appétit en période de convalescence;
- Est un analgésique naturel contre la douleur;
- Protège de certaines intoxications alimentaires et des parasites intestinaux.

On le retrouve naturellement dans les légumes verts foncés et les légumes feuillus, les carottes, le jaune d'œuf, la cantaloupe, l'abricot, la citrouille, les fèves, le blé entier, les levures.

Faits à connaître:
- Ceux et celles qui prennent de l'aspirine ou des antibiotiques en ont un plus grand besoin;
- A un effet croisé antagoniste avec les antiépileptiques.

LA VITAMINE F (ACIDES LINOLÉIQUE, LINOLÉNIQUE ET ARACHIDONIQUE)

Ces acides sont des acides gras non-saturés. Ils peuvent être détruits par la chaleur, les graisses saturées, le raffinage des huiles, l'huile minérale et l'oxygène. Le besoin quotidien varie de 500 à 2 000 mg.

Son action:
- Aide au lustre de la peau, des cheveux et des ongles;
- Protège de certains effets nocifs des rayons-x;
- Aide à la croissance et à l'absorption du calcium cellulaire;

- Aide à l'amaigrissement par la fonte des graisses;
- Réduirait la tension prémenstruelle (500 mg, 4 fois par jour, dans les 4 jours précédant les menstruations).

On la retrouve naturellement dans l'huile de graines de lin, de tournesol, de soya, d'arachide, de germe de blé, les amandes, les pacanes, les avocats, les noix, l'huile d'onagre (primerose).

Faits à connaître:
- La graine de lin, en plus d'offrir de la vitamine F, aide à la régularité intestinale d'une façon douce;
- L'acide gammalinoléique (onagre) est la meilleure source.

LES HUILES DE POISSONS HYPOCHOLESTÉROLÉMIANTES (EPA)

Ces huiles sont à peine connues depuis quelque temps par les Japonais que déjà elles sont recherchées pour leur action sur le cholestérol qu'elles font baisser. Les acides oméga 3 sont en voie de devenir une source complémentaire importante.

On les retrouve naturellement dans les poissons.

L'AIL

Récemment, l'ail a été reconnu comme ayant une action antibactérienne. Nos anciens l'utilisaient comme vermifuge.

LES MINÉRAUX

Nous sommes facilement embêtés lorsque nous entendons parler de minéraux. D'abord, leur quantité infime dans notre organisme nous fait douter de leur importance. **Et pourtant, aucune réaction biochimique ne pourrait avoir lieu sans eux.** Il ne faut pas oublier que les minéraux que nous utilisons dans notre organisme se doivent d'être végétalisés, c'est-à-dire de passer par les plantes ou les bactéries pour avoir un effet dans notre organisme. Nous les verrons un par un et nous en donnerons les sources alimentaires, ainsi que le rôle. Lorsque vous avez un goût marqué pour le sel, pensez prendre des compléments de tous les minéraux et des fruits contenant du potassium. Vous éviterez de surcharger les reins, et l'hypertension.

LE CALCIUM

Quatre-vingt-quinze pour cent de celui-ci se retrouve dans les os et les dents. Mais il joue aussi un rôle dans la contraction musculaire et dans l'activité électrique des nerfs. Il travaille avec le phosphore, le magnésium et la vitamine D (calciférol). La dolomite apporte une bonne quantité de calcium et de magnésium et les compléments de carbonate de calcium s'assimilent mieux.

Une bonne marche d'une demi-heure à tous les jours permet de garder notre calcium aux os. Sans activité, effort ou gravité, nous nous décalcifions. Les gros mangeurs de viandes rouges et de sucre, ou ceux qui exagèrent dans la consommation d'agrumes citrins en perdent beaucoup.

Il se prend en complémentation de 500 à 2 000 mg par jour.

Associé au magnésium, il aide au passage des substances à travers les cellules et un bon muscle cardiaque en a besoin. De grandes quantités de graisses en empêchent l'absorption, ainsi que l'acide oxalique des légumes feuillus, la rhubarbe, le chocolat et l'acide phytique présent dans certains grains et céréales.

Il fait des os forts (antiostéoporotique et antiarthritique) et régularise les réflexes nerveux. Il élimine l'insomnie, régularise la contraction cardiaque et les contractions musculaires (palpitations, extrasystoles, fébrilation).

On le retrouve naturellement dans le lait s'il ne manque pas de phosphore, dans le soya, le saumon, les fèves, les légumes verts.

LE CHLORURE

Il travaille avec le sodium et le potassium et aide à l'équilibre acido-basique. Il aide au travail du foie et nettoie le corps des déchets. Une altération mentale a été trouvée lorsque le lait des bébés n'en contenait pas assez.

Il conserve la souplesse musculaire et aide à la digestion.

On le retrouve naturellement dans les algues, le sel de mer, le sel de table.

LE CHROME

Ce minéral travaille avec l'insuline dans le métabolisme du sucre. Il diminuerait avec l'âge et on se demande si l'intolérance au sucre qui entraîne le diabète ne serait pas causée par une certaine forme de carence en chrome. Il aide à la croissance et à l'intégration des protéines tissulaires.

Un complément se mesure en microgramme (50-200 microgrammes). Il devrait être sous sa forme trivalente et organique qu'on appelle le facteur de tolérance au glucose.

Ses sources sont les fruits de mer, le blé complet, les champignons et les levures de bière.

LE COBALT

Il est un élément constituant de la vitamine B_{12}. Il est obtenu sous forme alimentaire par l'ingestion de légumes verts, d'huîtres, de viande. Il est important dans l'hème de hémoglobine (noyau de transport du fer).

LE CUIVRE

Ce minéral organique est nécessaire pour convertir le fer dans l'hémoglobine des globules rouges et pour l'utilisation de la vitamine C. Il aide à l'intégration de la tyrosine et serait un facteur important dans la pigmentation de la peau et comme facteur anti-anémiant.

On le retrouve naturellement dans les fèves, les pois, les prunes, le blé entier, les fruits de mer et le poisson.

L'IODE

On retrouve la plus grande concentration d'iodures dans la thyroïde du corps. Par les hormones thyroïdiennes, il favorise la croissance et la consommation d'oxygène par les tissus.

Les algues, les oignons, les poireaux nous en fournissent de bonnes quantités. On en a ajouté dans le sel de table afin d'éviter les carences dans la population. Comme les femmes sont souvent avisées de ne pas saler, il y a danger de carence.

LE FER

Un des minéraux en grande quantité dans notre corps, surtout dans l'hémoglobine des globules rouges et dans certains enzymes. Le cuivre, le cobalt, le manganèse et la vitamine C en aident l'absorption. Il améliore la résistance aux infections et, grâce au transport de l'oxygène aux tissus, il favorise une bonne combustion des déchets, procurant ainsi de l'énergie.

L'acide phytique peut en diminuer l'absorption, c'est-à-dire lorsqu'on le prend avec des céréales entières. La prise avec les fruits et la vitamine C en augmente l'absorption.

On le retrouve naturellement dans le foie, les grains entiers, les huîtres fraîches, les pêches, les œufs, la viande rouge, les noix, les asperges et le gruau.

LE LITHIUM

Minéral dont le sel est utilisé thérapeutiquement dans les états maniaco-dépressifs qui touchent les gens qui en seraient carencés.

LE MAGNÉSIUM

Il est connu comme le minéral anti-stress et il est nécessaire dans le métabolisme de la vitamine C, du calcium, du phosphore et du potassium. Il joue un rôle important sur les nerfs et dans la contraction musculaire. La consommation d'alcool en fait perdre beaucoup à l'organisme.

Il diminue les troubles d'estomac, améliore la condition du déprimé, aide aux dents et à la contraction du muscle cardiaque.

On le retrouve naturellement dans les figues, les dattes, les noix, le citron, le pamplemousse, les amandes, les pommes et les légumes verts. Une diète riche en protéines en demande de grandes quantités.

LE MANGANÈSE

Il aide à la formation de l'hormone thyroïdienne. Il est important pour la structuration des os, la digestion efficace et l'utilisation de la nourriture. Nous en avons besoin pour assimiler et utiliser la biotine et la vitamine C. Son assimilation peut être réduite si de grandes doses de calcium et de phosphore sont ingérées.

Il brise la fatigue, améliore la mémoire avec la lécithine et la vitamine B_6, et réduit la nervosité.

On le retrouve naturellement dans les noix, les légumes feuillus verts, les betteraves, les pois, le jaune d'œuf et les céréales à grains entiers. Les gros buveurs de lait et les grands mangeurs de viande en requièrent plus que les autres.

LE MOLYBDÈNE

Il aide au métabolisme des graisses et des sucres et favorise l'utilisation du fer. De ce fait, il prévient l'anémie.

On le retrouve naturellement dans les légumes verts, le blé entier.

LE POTASSIUM

C'est un minéral actif dans toutes les cellules. Les diurétiques pharmaceutiques nous en font perdre. Il aide au rythme cardiaque, et est en balance avec le sodium. L'hypoglycémie fait perdre du potassium. Joint au calcium, il aide à ramener la tension artérielle à la normale. Il est perdu en grande quantité dans la diarrhée. Les jambes deviennent alors molles, le mouvement intestinal diminue et le cœur bat mal.

On le retrouve naturellement dans les fruits citrins, les dattes, les bananes et les légumes verts.

LE PHOSPHORE

Ce minéral est présent dans toutes les cellules et est également présent au moment de toutes les réactions dans nos tissus. Il fonctionne avec le calcium et la vitamine D dans l'équilibre des os, des reins et dans les contractions musculaires et cardiaques. Il est énergisant.

On le retrouve naturellement en quantité dans la volaille, le poisson, les œufs, le blé entier, les noix et les graines.

LE SÉLÉNIUM

Mieux connu depuis 1970. Il est indispensable aux enzymes des cellules et les protège des oxydases qui sont cancérigènes. Il aide au fonctionnement du cœur et travaille en association synergétique avec la vitamine E. Il semble qu'à la puberté nous en ayons un plus grand besoin, et qu'il se concentre dans les testicules et les canaux déférents. Il est facilement détruit par la mise en conserve. Ceux qui travaillent près des photocopieurs devraient surveiller le surdosage. Les sols cultivés en sont facilement déficients. Le sélénium régularise la contraction musculaire et la stimulation nerveuse.

On le retrouve naturellement dans les fruits de mer, les oignons, les tomates, le germe de blé, le houblon.

Il ne faut pas dépasser 200 microgrammes par jour.

LE SOUFRE

Il est présent dans quelques-uns de nos acides aminés (cystéine) et il travaille avec le complexe-B. Il aide à la sécrétion biliaire et à l'équilibre de l'oxygénation au cerveau. C'est un peu comme l'oxygène du fœtus. Il est souvent appelé le minéral de la beauté naturelle. Il garde la peau claire et les cheveux lustrés. Le soufre aide aussi à contrer les infections et l'acné.

On le retrouve naturellement dans le chou, les fèves, les œufs et les noix.

LE ZINC

C'est un minéral important. Il est essentiel à la croissance des cellules, à la synthèse des protéines et à l'utilisation de la vitamine A ou la bêta-carotène. Il est souvent déficient dans l'alimentation occidentale. Il joue un peu le rôle de policier de la circulation dans l'organisme, dirigeant dans leur efficacité les enzymes, les cellules et la production des glandes. Il est présent dans la formation de l'insuline. Son besoin augmente avec des doses élevées de vitamine B_6. Son rôle est vital aux organes reproducteurs. On suppose qu'il aurait un rôle à jouer dans la schizophrénie et le fonctionnement du cerveau. Il fait disparaître les points blancs sous les ongles, signes de sa carence. Il diminue le cholestérol, améliore l'appétit et le goût, accélère la cicatrisation et rend résistant aux infections.

On le retrouve naturellement dans la viande d'agneau, le porc, le germe de blé, les citrouilles, les graines, les œufs, la levure de bière et le lait écrémé en poudre.

Nous en avons besoin de 15 mg par jour au moins et jusqu'à 75 mg s'il y a déficience. La déficience se détermine en calculant la distance en millimètres qui sépare la lunule de l'ongle des taches blanches, et en prenant comme base que chaque millimètre représente un mois; on peut ainsi découvrir le mois de l'année où nous avons eu une carence de zinc. Les mois d'automne et d'hiver sont ceux où nous avons le plus de carences en zinc, surtout si nous consommons beaucoup d'aliments en conserve.

En terminant, je ne voudrais pas passer sous silence **les enzymes** présents dans toutes les cellules des aliments vivants. Ces enzymes sont des particules vivantes venant aider à la digestibilité des aliments lorsque nous brisons nos aliments crus par mastication. Ces parties de cru manquent dans les aliments industrialisés ou surcuits. Les enzymes sont détruits si on chauffe les aliments à plus de 100°F.

Voilà donc ce que nous devons savoir en général sur les minéraux[1]. Nous avons forcément dû résumer les grandes lignes, mais cela vous montre quand même leur importance dans le régime alimentaire quotidien et vous permet de faire une analyse de votre propre régime. Si

---

1. Pour plus de renseignements sur les minéraux, consultez Faelten, Sharon - Les Minéraux - Éd. Québec Agenda, 1988, 610 pages (disponible à l'ADAS).

vous ne consommez pas les aliments mentionnés, vous avez sûrement des carences en minéraux et une complémentation vous aidera. N'oubliez pas ! Vous êtes les seuls responsables de votre santé. Voyez-y ! Faites de vos aliments vos remèdes. (Hypocrates)

CHAPITRE 12

LA NUTRITION: LE SEUL FACTEUR DE SANTÉ

LA PART DE LA NUTRITION DANS LA SANTÉ

Avant de savoir comment se nourrir, il est important de bien comprendre pourquoi il faut bien se nourrir. Quand on comprend cela, la motivation augmente et les efforts nécessaires pour bien se nourrir diminuent. Pour un médecin, le fait de bien comprendre ces principes lui fournit une matrice qui augmente ses réflexions de diagnosticien. En effet, il lui faut toujours essayer de comprendre que la nutrition se doit d'être scrutée attentivement et que les habitudes alimentaires ont des répercussions sur les générations qui suivent autant que sur l'individu actuel.

PREMIER CONCEPT: FONCTIONS DES CELLULES

Réduire l'être humain à sa plus petite expression, c'est-à-dire la cellule, nous aide à comprendre beaucoup de choses. Multipliez cela par 60 à 100 milliards, ce qui est le nombre approximatif de vos cellules, et vous verrez l'importance des petites choses.

La cellule a comme fonctions:

1. **La nutrition**: les nutriments, les macronutriments (eau, fibres, protéines, lipides) et les micronutriments (vitamines et minéraux);
2. **La sécrétion**: les hormones, enzymes, médiateurs, etc.;
3. **La réception des messages**: chimiques, électriques et magnétiques;
4. **L'excrétion**: CO^2, ammoniac, eau, acétone, etc. (par l'action des fibres);
5. **La reproduction**: division cellulaire, survie des tissus et de l'individu (fournit à ce dernier une existence à 100% et garantit la survie de l'espèce).

DEUXIÈME CONCEPT: DURÉE DE VIE DES CELLULES

Les cellules forment une masse non homogène et la durée de vie individuelle des cellules est variable, d'où la nécessité pour celles-ci de se renouveler, ce qu'elles feront plusieurs fois pendant la vie de l'individu. De plus, ce même individu aura éventuellement à se multiplier pour la survie de son espèce. Voici un aperçu de la durée de vie des différentes composantes de notre organisme:

1. **Croissance d'une cellule** (multiplié par 60 à 100 milliards). Elle croît d'une masse de nanogramme jusqu'à 60 à 80 kilogrammes en 18 ans.
2. **Renouvellement**:
   - quelques minutes: les globules blancs;
   - de 3 à 7 jours: les épithéliums et les muqueuses;
   - 120 jours: les globules rouges;
   - de 3 à 6 mois: les muscles, les glandes;

– de 6 à 12 mois: les os;
– de 2 à 3 ans: le tissu nerveux.

3. **Réparation** (accidents traumatiques, usure précoce, infections, stress, brûlures): la cicatrisation interne et externe s'effectue en 7 jours si l'individu est en bonne santé.

TROISIÈME CONCEPT: LES BESOINS NUTRITIONNELS

Les besoins nutritionnels sont d'environ 3 kilogrammes de nourriture par jour, ce qui comprend les fibres et l'eau, soit trois quarts de tonne par année, et tout cela sans que nous prenions une livre ou un kilo de poids durant de nombreuses années. Pourtant, nous ne mangeons pas de l'air ? Non, mais nous nous énergisons par la masse noyautique ou atomique.

Tout vient de l'environnement naturel (il faut l'espérer en tout cas), et le processus de transformation a lieu dans le tube digestif sur un trajet de trois à quatre mètres pendant une durée de quatre à cinq heures et grâce à deux, trois ou quatre repas par jour.

Si l'arbre humain pousse bien (**croissance**), qu'il reprend vie aux diverses saisons de la vie (**renouvellement**) et si son écorce cicatrise bien sans kéloïde (**réparation**), c'est que tous les nutriments sont dans notre alimentation. Mais à voir le nombre de maladies qui affectent les individus, on peut croire qu'ils en manquent ou bien qu'ils ne prennent pas tout ce qui leur est nécessaire, ou qu'ils sont trompés par les apparences de ce qu'ils croient être des aliments.

QUATRIÈME CONCEPT: VALEUR ÉNERGÉTIQUE

Jusqu'à maintenant, nos besoins ont été comptés en **besoins caloriques**: 2 300 à 2 800 calories par jour pour les adultes; 50 calories par livre de poids ou 110 calories par kilo pour les enfants. Est-ce une évaluation suffisante ? Peut-être pour les besoins intellectuels et scientifiques, en laboratoire. Mais pour la réalité vivante, «conscientifique», j'en doute. Ne devrait-on pas plutôt parler de **valeur énergétique** par la dynamique de la performance (énergie et vigueur) qu'elle procure à l'individu vivant dans la réalisation de ses fonctions de nutrition, de sécrétion (travail), de réception (écoute des autres pour l'harmonie), d'épuration pour sa propre santé et de reproduction pour les générations cellulaires qui le supporteront ? Pourquoi mesurer les calories (unité de chaleur) ? Nous ne sommes quand même pas un édifice en béton quand nous nourrissons une cellule vivante. **Cette cellule a cinq fonctions qu'elle remplit pourtant sans aucun diplôme universitaire.** Le syndicalisme cellulaire ne peut pas la limiter à faire le moins possible pour la meilleure paye. Elle est faite pour travailler à la santé optimale, dans l'harmonie.

Nous savons que le guide alimentaire nous recommande de consommer des aliments des quatre groupes suivants à chacun des repas: céréales; légumes et fruits; viandes et substituts; produits laitiers.

Allons un peu plus loin dans nos habitudes alimentaires et la liste s'allonge: les céréaliers; les légumes; les fruits; les légumineuses; les œufs, le caviar, etc.; les poissons et fruits de mer; les viandes et volailles; les produits laitiers; l'eau, les additifs chimiques (10 livres par an, ça compte, sinon pour la santé, du moins pour les maladies); les médicaments (quand on sait la quantité qui se consomme); les «cochonneries»; les aliments raffinés, cuits, irradiés, embaumés, frelatés, vidés. Ça fait plusieurs classes, n'est-ce pas ? Nous vivons dans une société qui aime la classe. **Mais nous vivons aussi dans une société qui aime les conventions plus que la conviction.** C'est à réfléchir.

Que doivent nous offrir nos aliments ? Nos besoins sont de l'ordre de 2 500 calories en moyenne par jour qui nous sont fournies par:

– 250 g d'hydrates de carbone x 4 calories	=	1 000 calories
– 125 g de lipides x 9 calories	=	1 125 calories
– 125 g de protéines x 4 calories	=	600 calories
Total		2 725 calories vivantes et non mortes et embaumées par les nitrites

Les nutriments devraient donc être représentés dans la proportion suivante:

- 50 à 65% d'hydrates de carbone (fibres et sucres complexes et simples);
- 20% de lipides (huiles polyinsaturées et minéraux);
- 15% de protéines (80% végétales, 20% animales).

CINQUIÈME CONCEPT: LA FLÛTE DE JÉRICHO

Voici la santé résumée en 12 points (voir schéma 10):

1. **La table:** trois repas par jour séparés par une période de jeûne.
2. **La bouche:** mastication des fibres et digestion des hydrates de carbone.
3. **L'estomac:** brassage acide du chyme, digestion des protéines et des lipides (temps variable).
4. **Le duodénum:** brassage alcalin (chyle) avec les enzymes pancréatiques et les sels biliaires.
5. **Le jéjunum:** assimilation des nutriments, fruits de la digestion; protéines (acides aminés); hydrates de carbone (monosaccharides); lipides (acides gras), chylomicron et canal thoracique. Les déchets et les fibres continuent vers le bas.

6. a) **L'iléon** (troisième partie de l'intestin grêle): assimilation des acides gras, du cholestérol et de la vitamine B_{12}.

   b) **Passage colique:** élimination des déchets régulièrement à tous les jours.

   Assimilation de certaines vitamines (K, biotine, acide folique) et assimilation d'un peu d'eau selon les réserves circulatoires. Dans la première et la deuxième partie du côlon, s'il y a **stase** et **constipation**, c'est la prolifération bactérienne, les sécrétions de toxines qui, si elles sont réabsorbées, vont vers le foie et provoquent des dommages métaboliques, puis cellulaires. De plus, à ce moment, il peut y avoir passage de virus vers le foie, d'où les infections virales chez certains sujets constipés. **Le mauvais entretien des égoûts entraîne du dégoût et brise les goûts** (une image vaut mille mots, n'est-ce pas?). C'est ici que commencent les maladies tissulaires, puis cellulaires (anomalies sécrétoires, cellulite) et nucléaires (cancers, malformations génétiques).

   c) Retour à l'environnement naturel, si nous voulons la santé, afin que nos déchets soient recyclés.

7. **Le passage sanguin** dans la veine porte: métabolisme hépatique.

8. **Le passage veineux** cardiaque avec le sang usé des membres, le sang hormonisé du cerveau, et le sang nutritif de l'intestin et du foie.

9. **Passage d'oxygénation** et de combustion pulmonaire.

10. **Au cœur gauche,** pompage dans la grande circulation sous la succion des muscles (si non tendus) et vers le cerveau selon les mécanismes des barorécep-

teurs carotidiens et par les artères vertébrales si le cou est bien droit et que la posture active autant que statique est bonne.

11. **Utilisation tissulaire:** jusqu'ici, c'est la santé si les aliments sont nourrissants.
12. **Retour veineux** vers le cœur gauche.

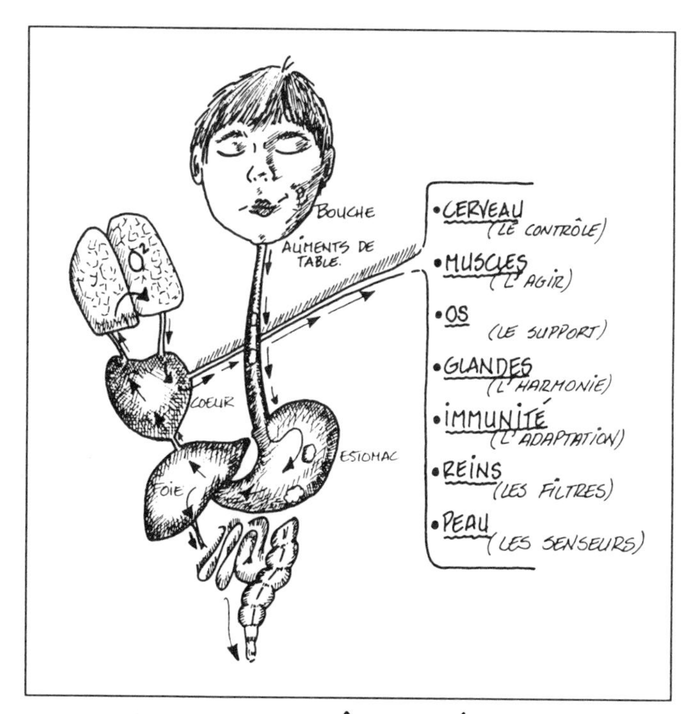

Schéma 10 – LA FLÛTE DE JÉRICHO...
QUI ABAT LE MUR DES MALADIES

Avec ces cinq concepts, vous développerez une excellente capacité d'observation de vous-même et vous pourrez arriver à mieux saisir l'histoire immédiate de certaines maladies ainsi que l'histoire plus lointaine de d'autres.

Par exemple, la santé d'un nouveau-né est le reflet de la santé de la mère et, indirectement, de celle du père. Une terre épuisée peut rarement procurer une croissance à terme à ses fruits.

Comme le dit l'adage: **«On reconnaît l'arbre à ses fruits»**. C'est un concept pour le développement. Mais j'ajoute: **«On reconnaît le fruit à son sol»**. C'est un concept de la santé du fruit. **La mère est la terre choisie par le fœtus et, pour le père, elle devrait être la terre choyée,** comme la serre-chaude est la terre choisie pour le plant nouveau et aussi la terre choyée par le jardinier aimant.

«Le chemin au courage des humains passe par l'estomac ou par la nutrition», répétaient nos grands-mères. Et Hypocrate disait pour sa part: «Faites de vos aliments vos remèdes et de vos remèdes vos aliments».

CHAPITRE 13

LA COMPLÉMENTATION: FORMULATION DE BASE

Avec les connaissances acquises depuis le début de la lecture du volume, j'espère que **vous devenez de plus en plus votre propre expert en nutrition**. Malgré tout, votre médecin remplit un rôle bien important lorsque vous recourez à ses services. Il est l'expert de l'analyse des symptômes physiques que la détérioration de votre santé peut vous apporter. En plus, s'il peut faire la corrélation avec votre histoire familiale, votre type de travail, la santé du reste de la famille, la santé et la croissance des enfants, il possède alors, en connaissant en plus votre journal alimentaire, une clé d'analyse qui lui permettra de comprendre pourquoi votre santé perd de sa vigueur.

Les moindres symptômes peuvent être des indices importants, comme la fatigue après une bonne nuit de sommeil, l'insomnie, les engourdissements diffus, la fatigue au moindre effort, un certain découragement, un manque d'appétit, du ballonnement abdominal, des variations de poids. Des signes physiques tels que la pâleur, les yeux cernés, les taches blanches sur les ongles, la texture de la peau, des ongles et des cheveux, la transpiration, les infections répétées, la présence de cicatrices kéloïdiennes, la constipation et/ou la diarrhée, l'embarras bronchique, l'acné, la séborrhée, l'état dentaire; tous ces signes viennent préciser l'analyse des carences alimentaires que vous pouvez avoir. Encore faut-il savoir faire le rapport entre ces signes et vos habitudes alimentaires et de vie.

De plus, il y a votre posture, l'usure et la déformation de vos chaussures, le tonus musculaire, l'épaisseur de votre pli graisseux sous-cutané, l'amplitude respiratoire, le rythme cardiaque, la tension artérielle, l'épreuve d'effort, et j'en passe. Ces autres éléments vont donner à votre médecin un aperçu de votre dynamique musculaire en relation avec l'état nutritif de votre sang, la souplesse de vos tissus et la constitution de vos chairs.

Une bonne analyse ne peut se faire, par contre, sans connaître à fond votre journal alimentaire que je vous encourage à faire à tous les jours tant que vous ne le possédez pas dans votre tête. Avec la notion du nombre de vos repas, la fidélité à vos heures de repos et la somme quotidienne de vos efforts, vous aurez alors une analyse assez juste de votre état dynamique et de votre force vitale. Cela permet aussi de vous diriger sur le chemin de la santé grâce à une complémentation équilibrée.

Ajoutez à cela l'analyse, non pas seulement calorifique, mais aussi énergétique de votre alimentation; alors le degré de carence alimentaire en certains nutriments devient évident. Pour chacun de vous ce tableau diffère; et chacun de vous a besoin d'un régime sur mesure. Le guide alimentaire nous procure un axe moyen; les variations de cet axe vont dépendre d'abord de vous, de votre médecin et souvent d'une nutritionniste ou d'une diététicienne selon le cas. Mais le bon sens est de mise dès que vous avez les guides de base. Ce bon sens de vous-même s'exprime par «Je me sens bien», «Je me sens en grande forme», «Je me sens vigoureux et très résistant durant mes efforts quotidiens». Vos proches vous diront: «Tu es plus patient, plus souriant, tu as meilleur teint, tu es agréable, tu es dynamique».

BASE DE CALCUL

Il vous faut une base de calcul. Pour cela, nous nous servirons du guide alimentaire canadien en ce qui a trait aux nutriments. Vous savez maintenant qu'un nutriment, c'est ce qui, une fois la digestion des aliments faite, passe dans le sang vers le foie. C'est ce qui nous nourrit à proprement parler. C'est le matériel de nos aliments qui atteint nos cellules par la circulation sanguine artérielle.

Voici les besoins de base pour l'axe moyen de chacun (donnés en calories), selon l'âge:

- 0 - 1 an: 50 calories par livre par jour ou 110 calories par kg par jour;
- 1 à 12 ans: 1 000 calories de base + 100 calories par année d'âge (Exemple: à 9 ans, les besoins sont de 1 900 calories);
- Adolescent-e-s: 2 200 à 3 000 calories par jour;
- Adultes: 2 200 à 2 800 calories par jour.

Si vous avez une activité basse, assise ou debout, ajouter 150 à 200 calories; si vous avez une activité légère, ajoutez 200 à 250 calories; et si votre activité est modérée, ajoutez 300 à 400 calories. Tout cela pour vous dire que votre bon sens de la faim vous le fera sentir si vous ne l'avez pas altéré par des produits chimiques, par un nez bouché, par des problèmes psychologiques ou des ambitions effrénées et par l'alcool et la cigarette.

Quand vous devenez malades, vous n'êtes pas pires ni mieux que les animaux qui modifient alors leurs habitudes alimentaires. Vous vous devez aussi de cesser de manger des viandes et des matières grasses afin de protéger votre digestion et l'assimilation des nutriments. **Il est bon, dans ces moments, de passer au régime de nos**

grands-mères: du repos, beaucoup d'eau tiède, des bouillons maigres de légumes et surtout, s'assurer d'une bonne élimination intestinale, sinon les toxines des microbes du gros intestin peuvent vous assaillir.

Nous avons vu précédemment nos besoins des divers nutriments, lorsque nous avons élaboré sur les besoins nutritionnels de base. Mais si nous formulons les besoins de base en vitamines et minéraux, je ne vous dirai que ceci: «Il est bon de s'habiller et de se couvrir». Mais suivant les particularités de chacun, la pointure et les mesures des vêtements vont varier. **C'est pour cela qu'il vous faut calculer votre besoin individuel et prendre une complémentation alimentaire en conséquence.** Vous êtes unique; vous êtes ou devez devenir votre propre expert, même s'il vous faut aller chercher les informations et les préciser auprès de votre médecin, de votre nutritioniste et surtout de votre journal alimentaire.

Nous avons mentionné que le guide alimentaire divise les aliments en quatre groupes. J'ai complété en vous mentionnant plusieurs autres groupes dont il est bon de tenir compte pour vous aider à comprendre que tout ce qui entre par la bouche passe par le système digestif et, en quelque sorte, semble un aliment, malgré qu'il peut, si vous en abusez, altérer bien des fonctions et couper la faim pour des aliments bien plus nourrissants et bien plus profitables à votre santé.

Règle générale, vous devriez analyser votre journal alimentaire en essayant de visualiser les écarts que vous faites en rapport avec le guide alimentaire qui donne les règles suivantes:

1. Les aliments céréaliers (pain, pâtes, croûtes de tarte, gâteaux, farines, grains, avoine, orge, sarrazin, millet, etc.): 2 à 3 portions par jour; prendre crus, moulus finement (crème Budwig).
2. Les légumes (légumes racines, tiges, feuilles, fruits): 4 à 6 portions par jour (2-3 crus); bien les laver.

3. Les fruits (fruits doux, les agrumes, les fruits gras): 2 à 3 par jour (N'oubliez pas que les confitures sont considérées comme des sucres); bien les laver.
4. Les légumineuses (fèves, noix, amandes, lentilles, etc.): 2 à 3 portions par jour.
5. Les œufs (caviar, œufs): 1 par jour au moins.
6. Les poissons et fruits de mer: 1 à 3 repas et plus par semaine.
7. Les viandes, volailles et abats: 1.5 portion par jour.
8. Les produits laitiers: 3 portions par jour pour un maximum de12 à 20 onces pouvant se répartir comme suit: un verre de lait de 6 onces; 1 tranche de fromage (équivalent de 6 à 7 onces de lait); un yogourt de 4 onces (équivalent de 6 onces de lait).
9. L'eau (la plus pure possible, distillée ou filtrée ou de source avec moins de 50 milli-équivalents (MEq/l) par litre de minéraux: 30 à 40 onces par jour.
10. Le moins possible d'additifs chimiques (nitrites, sulfites, colorants synthétiques, tartrazine, aspartame, glutamate de sodium, BHT, BTA).
11. Le moins possible d'aliments vides ou «cochonneries»: aliments inutiles publicisés mais dont vous pourriez vous passer; ils plaisent au goût, à l'œil, à l'odorat, mais pas au foie, à la faim et à la soif.
12. Le moins possible d'aliments raffinés, frelatés, irradiés: à éviter parce que la vitalité a été tuée par les processus de transformation;
13. Le moins possible de médicaments: ils ne sont là que sur recommandation médicale, dans les cas d'urgence. Ils ont des propriétés bien spécifiques et s'appuient sur un diagnostic médical. Cependant, ils ont des effets secondaires sur vos sens, sur vos nutriments et ils ne remplacent pas les nutriments, ni les

aliments. **Les nutriments comme les protéines, les acides gras essentiels, les vitamines et les minéraux ne sont pas des médicaments. Ils viennent combler des manques alimentaires qui ont provoqué des maladies.** Les manques alimentaires sont évidents lorsque vous faites la rédaction de votre journal alimentaire et lorsque vous essayez de voir celui des générations qui vous ont précédé.

GROUPES PARTICULIERS ET COMPLÉMENTATION

Plusieurs groupes de la population ont particulièrement besoin d'une complémentation de protéines, vitamines et minéraux. Les voici:

1. Les enfants (période de 0 à 2 ans) et les adolescents en croissance active (période de 10 à 16 ans); les enfants qui font peu de plein air; les enfants capricieux à table ou en garderie;
2. Les femmes qui se préparent à la conception, qui sont enceintes, qui allaitent et les femmes en période menstruelle;
3. Les adultes vieillissants qui ont peu de goût pour s'alimenter;
4. Les individus en période pré-opératoire et en convalescence;
5. Les gens qui luttent contre l'infection;
6. Les gens en état de grande faiblesse, comme les cancéreux, les tuberculeux, etc.;
7. Ceux qui présentent de l'alcoolisme, du tabagisme;
8. Ceux qui ont un régime alimentaire carencé;
9. Les sportifs;
10. Les autres, comme vous peut-être, après vous être analysé à partir de la lecture de ce texte.

Finalement, la complémentation est une question qui ne trouve sa réponse que dans un examen sérieux des conditions de vie qui régissent un individu en particulier: habitudes de vie, travail, alimentation et qualité des aliments consommés. La complémentation dépend aussi de l'usure particulière de l'individu en rapport avec les habitudes des générations qui l'ont précédé. Elle dépend de la présence ou de l'absence de certains organes opérés ou usés, de la façon dont ont été préparés, cultivés et préservés les aliments que l'individu met sur sa table ou qu'il accepte dans son ignorance. Vous voyez que cette question peut paraître aussi complexe qu'un labyrinthe et, pour sortir d'un labyrinthe, il nous faut une carte directionnelle.

POUR SORTIR DU LABYRINTHE: LES BESOINS DE BASE EN NUTRIMENTS

Si nous partons de l'individu moyen de base qui se croit en santé, qui mange relativement bien, chez lui, et qui ne semble pas avoir de maladies graves, le guide alimentaire nous dit que ses besoins alimentaires sont les suivants.

1. L'eau: 1 000 ml/kcal, soit 2.5 litres par jour variant avec la température, l'activité physique, la transpiration et le régime alimentaire;
2. Les fibres alimentaires: assez pour avoir de 1 à 2 mouvements intestinaux par jour;
3. Les protéines: de 2 g (enfant) à 0,5 g (adulte) par kilogramme par jour et qui leur procureront plus de 20 acides aminés;
4. Les lipides ou huiles poly-insaturées: 125 g par jour;
5. Les hydrates de carbone: 250 à 300 g par jour;
6. Besoins en vitamines (taux moyen qui, à peu de chose près, peut doubler selon les besoins individuels):

a) La biotine (vitamine H): 100 microgrammes par jour;
b) La folacine (acide folique): 150 à 200 microgrammes par jour;
c) • La vitamine A: 2 500 à 5 000 ui par jour;
   • La provitamine A (bêta-carotène): 5 000 à 10 000 ui par jour (la dose excessive pouvant conduire à l'intoxication est de 40 000 à 50 000 ui par jour);
d) La vitamine B_1 (thiamine): 0,8 mg par jour;
e) La vitamine B_2 (riboflavine): 0,8 mg par jour;
f) La vitamine B_3 (niacine ou acide nicotinique): 10 mg par jour;
g) La vitamine B_5 (acide panthoténique): 1 à 3 mg par jour;
h) La vitamine B_6 (pyridoxine): 1 à 2 mg par jour;
i) La vitamine B_{12} (cobalamine): 1 microgramme par jour;
j) La vitamine C: 100 à 500 mg par jour;
k) La vitamine D: 400 ui par jour et pas plus de 1 000 ui par jour;
l) La vitamine E: 25 ui pour les enfants; 200 à 400 ui par jour pour les adultes;
m) La vitamine K: dose inconnue (synthèse par les bactéries intestinales). C'est la vitamine favorisant la coagulation;

7) Besoins moyens en minéraux
   a) Le calcium: 700 à 800 mg par jour;
   b) Le phosphore: 600 à 700 mg par jour;
   c) Le magnésium: 3.4 mg/kg;
   d) Le fer: 8 à 15 mg par jour;
   e) L'iode: 50 à 160 microgrammes par jour;
   f) Le zinc: 8 à 15 mg par jour;
   g) Le cuivre: 1 à 2 mg par jour;
   h) Le fluor: prudence puisqu'il y en a dans tout;
   i) Le manganèse: 2 à 4 mg par jour;
   j) Le sélénium: 50 microgrammes par jour;
   k) Le chrome: 50 à 100 microgrammes par jour.

Vous avez maintenant une bonne idée des besoins de base en nutriments. Si vous désirez faire une lecture plus complète sur les besoins en apports nutritionnels recommandés, je vous suggère le rapport officiel fait par un groupe consultatif dont le titre est: «Apports nutritionnels recommandés pour les Canadiens». Vous pouvez vous le procurer en écrivant au Centre d'édition du gouvernement du Canada, Approvisionnements et Services Canada, Ottawa, Canada, K1A 0S9 (ISBN 0-660-91055). Vous y retrouvez des indications quant aux quantités qui peuvent varier selon les besoins, ainsi que les conséquences d'une carence.

Il y a donc des états particuliers qui font varier les demandes de l'organisme: certaines conditions maladives empêchent une pleine utilisation des quantités ingérées, soit parce que l'intestin les assimile incomplètement, soit que le foie ne les utilise pas adéquatement. C'est ce que nous nommons la biodisponibilité.

LES PRINCIPES DE BASE DE LA COMPLÉMENTATION

Connaissant maintenant les besoins de l'organisme en nutriments, il est important de savoir quelques principes de base de la complémentation.

PREMIÈREMENT

Vous comprenez qu'un complément alimentaire de base est fait pour les individus en général, peu importe leurs habitudes de vie, leur régime alimentaire, leurs défaillances organiques et leurs handicaps. Une réglementation gouvernementale protège les consommateurs, et les formules vitaminiques approuvées sont identifiées sur les contenants par un numéro de code et les lettres DIN.

DEUXIÈMEMENT

Un complément alimentaire de nutriments se présente souvent sous forme de dose unique quotidienne.

C'est moins coûteux pour le fabricant. Quant à moi, je préfère un complément présenté en doses qui se prennent de façon étalée sur toute la journée, comme les aliments, c'est-à-dire à chacun des repas ou à deux d'entre eux. Pourquoi ? Tout simplement pour que la disponibilité des vitamines et des minéraux soit répartie avec les aliments sur toute la journée, ce qui évite le rejet des excès que l'organisme ne peut utiliser, permettant une biodisponibilité plus grande.

TROISIÈMEMENT

Un bon complément ne contient pas d'additifs chimiques, ni de colorants, ni d'édulcorants artificiels. Pour le savoir, il existe un moyen de vérification très simple: placez-le au four à 350°F pendant six minutes. S'il carbonise et noircit, c'est qu'on a utilisé dans leur fabrication des agents sucrants et liants artificiels.

QUATRIÈMEMENT

Un bon complément de nutriments vitaminiques et de minéraux est toujours préparé avec des matières premières prises dans la nature et ces matières ne doivent pas être extraites par le feu ou les grandes chaleurs, sous peine d'endommager certaines vitamines et de ne retrouver que les carcasses chimiques de celles-ci. Comme je dis souvent: «C'est cru, c'est dégradable, c'est frais et vivant». Ce qui se conserve est très souvent embaumé. C'est pour cela qu'il y a une date d'expiration sur nos aliments. Prenez l'exemple du pain: un pain sans préservatif chimique moisira si vous ne le réfrigérez pas. La farine sans additif chimique chauffe si elle est moulue trop à l'avance.

CINQUIÈMEMENT

Tout ce qu'il nous faut ne se retrouve pas dans un seul comprimé. Pour avoir de bons repas, il faut de la variété, et c'est la même chose pour la complémentation. On ne peut agglomérer en un seul comprimé tous les nutriments dans leur quantité de base. Si quelqu'un se van-

tait de pouvoir tout mettre dans un comprimé ce qu'il nous faut pour avoir un régime alimentaire complet ou une complémentation complète, ce serait de la fourberie. La complémentation se doit d'être équilibrée.

SIXIÈMEMENT

Une bonne complémentation devrait vous procurer une sensation de plus grande vigueur après une période de trois à six mois de consommation. Comme on reconnaît l'arbre à ses fruits, il en est ainsi des compléments de vitamines et de minéraux. Leur effet est encore la meilleure preuve de leur valeur. C'est malheureux d'avoir à payer pour l'apprendre. On attribue souvent la perte de confiance des médecins dans la valeur d'un complément au fait que ce qui a été offert sur le marché régulier, avec force publicité, n'a jamais donné les résultats que les livres de biochimie avaient laissé entrevoir.

SEPTIÈMEMENT

Une complémentation en vitamines et en minéraux est sans effet si les protéines qui fournissent les acides aminés ne sont pas également présentes lors de leur ingestion. Les vitamines et les minéraux seuls ne peuvent rien si on ne leur associe pas les hydrates de carbone, les protéines et les huiles qui les rendent assimilables et bio-utilisables. Cette notion est très souvent ignorée et, par conséquent, rarement appliquée. Pour employer une image, on ne peut refaire ses tissus si nous n'avons que les aiguilles à tricoter et qu'on n'a pas la laine (les protéines). On ne peut écrire tous les mots s'il nous manque une lettre.

FORMULATION DE BASE

Retenez cette formulation:

1. Protéines: 1 cuillère à table deux à trois fois par jour;
2. Vitamines et minéraux multiples: 2 à 3 fois par jour (doses fractionnées);

3. Fibres avec des nutriments complets et des enzymes (comme la luzerne): 3 à 4 comprimés, 2 à 3 fois par jour, assurant ainsi à l'organisme au-delà de 60 nutriments.

Toutefois, si les égoûts humains (le gros intestin ou le côlon) sont bouchés, embarrassés, engorgés et qu'ils intoxiquent le foie, il n'y aura pas une bonne assimilation des nutriments, pas plus que des aliments. Il faut que le foie, notre manufacture métabolique, puisse s'en servir sans être intoxiqué par les toxines des bactéries du côlon. Pour éviter ces problèmes quand vous commencez à ajouter à vos repas des compléments alimentaires comportant des protéines, des vitamines et des minéraux, prenez, pendant une dizaine ou une quinzaine de jours, des fibres alimentaires, de la luzerne, de la lécithine et beaucoup d'eau (c'est cela curer ou nettoyer l'organisme). Pourquoi ? Parce que, en plus de la raison que je viens de donner, les glandes de la sueur et sébacées, en retrouvant leur bon fonctionnement, vont essayer d'éliminer ces toxines. Vous aurez peut-être alors des plaques rouges sur la peau aux endroits où la sueur est plus abondante. Ne vous en inquiétez pas, c'est un signe de désintoxication.

Aussi, en complémentant, il est possible que des douleurs, jusqu'alors ignorées et que vous ne ressentiez pas, deviennent plus évidentes. Ce phénomène survient tout simplement parce que le système nerveux, mieux nourri, s'éveille et vous avertit des manques que vous avez et que vous ne pouviez plus sentir parce que vous l'avez intoxiqué avec des analgésiques de toutes sortes. C'est une sensation d'un corps qui se revitalise. **Après tout, quand on est vivant, on se sent, n'est-ce pas ?**

EN RÉSUMÉ

La complémentation de base devrait commencer après un bon nettoyage (cure) avec des herbes et des fibres doucement laxatives et beaucoup d'eau.

Suivra l'emploi quotidien (2 à 3 fois) d'un complément de protéines et de vitamines et minéraux associés à de la luzerne complète et mature. Vous vous sentirez ravigoté progressivement après une période de 3 à 6 mois. Après, si vous êtes un organisme assez sain, vous entretiendrez votre vigueur de base comme on entretient une plante, et vous ne vieillirez que d'un an par année, sans vous sentir obligé de dire: «Tu comprends, je ne peux plus, je vieillis». **Vieillir ne veut pas dire mourir, mais plutôt mûrir.** Vieillir veut dire avoir la conscience de sa vie. C'est pour cela qu'on vous dit «vieux» ou «vieille»; cela veut dire «ils ont la vie, eux» et «elles ont la vie, elles».

En terminant, retenez que vos regards ne devraient pas se pencher vers le sol qui vous enterrera lorsque vous mourrez; ils devraient plutôt être tournés vers l'horizon avec le ciel et la terre, avec le ciel et la mer. La maturité nous donne tellement d'expériences de la vie, que la vie nous accorde aussi le pouvoir de la partager. Elle se partage le plus efficacement à partir de 50 ou 60 ans, jusqu'à 120 ans.

Dieu-vivant est Amour, ne l'oubliez pas, et cela avant d'être tout-puissant. De plus, il est tout-puissant parce qu'il est simple. C'est la raison et les émotions des créatures qui sont compliquées.

Maintenant que vous savez quels compléments de base viennent assurer à votre organisme des nutriments complets, essayons de comprendre la raison des différences qu'on retrouve entre chaque individu au niveau de ses besoins en complémentation. Cela vous permettra d'individualiser la formule de base qui, elle, est universelle. Voyons ce qui fait de vous des êtres différents du point de vue alimentation, santé et vigueur.

Pour comprendre cela, nous prendrons le modèle de l'arbre afin que vous puissiez «vous figurer», comme disait mon père, ce que je vous dis et afin que vous ne soyez pas la proie de ceux qui enseignent par la peur.

CHAPITRE 14
COMPRENDRE CE QUI VOUS MANQUE

Dans le chapitre intitulé «Ce qui se passe en dedans de nous», j'ai tracé tout le chemin emprunté par les aliments dans notre tractus digestif, en passant par cette industrie qu'est le foie, puis vers le sang jusqu'aux tissus. C'est bien difficile de s'imaginer tout cela, parce que nous ne le voyons pas. Mais si je vous le dis, c'est que je l'ai appris et que je l'ai vérifié par l'expérience de la pratique médicale. Vous n'avez pas eu le temps ou l'occasion de faire un cours de biologie humaine me direz-vous ? Qu'à cela ne tienne. Vous avez, dans la Nature, un cours de nutrition humaine sous vos yeux, à tous les jours. C'est encore, pour moi, le meilleur guide mental que je puisse prendre pour vous donner des conseils, parce que l'émotivité en est absente. C'est la pure vérité qui s'exprime, et **aucun laboratoire ne vaut la Nature.** Ce modèle, ce sont les arbres et les plantes.

SURVIE ET DÉVELOPPEMENT DE L'ARBRE

Voyons les mécanismes de **survie** et de **développement** de l'arbre. Nous commencerons par le bas. À chacune des étapes, je ferai une comparaison avec nos systèmes biologiques. Allons-y par étapes, ce sera plus facile de s'y référer, plus tard.

LE SOL DE L'ARBRE

Il a été choisi par la semence ou le grain qui a donné l'arbre, et ce choix s'est fait au hasard du vent ou de l'oiseau qui mange et qui vole. Tous les grains ne poussent pas. Ne poussent que ceux qui tombent dans un sol favorable, à un moment choisi et dans un climat qui favorise l'éclosion du grain ou du gland qui, ainsi, pousse et prend racine pour croître jusqu'à son épanouissement. Quelquefois la semence n'est pas assez forte et bien constituée, même si le sol réunit les conditions nécessaires.

Pour nous, le sol nourricier et la semence, c'est l'histoire de nos parents, de notre naissance et de notre vécu. Le temps de passage dans la serre-chaude maternelle dure normalement neuf mois, puis nous sommes là. C'est donc que tout s'est bien passé. Notre mère est encore vivante ? C'est donc que son sol nourricier, son sang, était assez fort. Notre mère est décédée de maladies dégénératives ? C'est que notre sol nourricier manquait d'éléments que nous appelons les nutriments (les vitamines, les minéraux et les protéines).

Si votre enfance a été marquée par la prématurité ou que vous avez eu des enfants nés prématurément, c'est que votre état nutritionnel était défaillant. Il serait bon pour vous de penser à la complémentation de vos repas. Vous avez des membres de votre fratrie qui ont des malformations de la ligne médiane du cerveau, du cœur, de l'épine vertébrale, du palais, de la vessie, des intestins et des reins ? C'est que vous avez peut-être été exposé au rayonnement, aux médicaments ou encore à un manque de zinc ou de vitamines A, C ou E. Vos enfants sont malingres ou vous l'étiez vous-même quand vous étiez enfant ? C'est encore que la nutrition et l'environnement n'offraient pas tous les éléments nutritifs nécessaires.

LES RACINES DE L'ARBRE

Les racines plongent à la noirceur, dans le sol, et se nourrissent à partir des éléments du sol solutionnés par l'eau et transformés par les levures et les bactéries de ce même sol. Ces éléments sont l'azote (les protéines), les éléments phosphorés et calcaires (les vitamines) et les minéraux comme le fer, le potassium, etc. La racine maîtresse se nourrit des éléments de l'amande, puis les racines périphériques puisent dans le sol ce qu'il faut pour nourrir cet appel de croissance de l'arbre. L'arbre s'adapte à son environnement, aux insectes et aux autres plantes et les racines forment, avec les éléments du sol et l'eau, la sève qui nourrit la tige de l'arbre.

Pour nous, notre première racine est le placenta qui puise dans les lacs sanguins de l'utérus de la mère les éléments nutritifs [1]. Puis notre bouche tire de la mamelle maternelle le lait qui contitue notre nutrition comme la sève nourrit l'arbre. La bonne santé de la mère va de pair avec la bonne santé de son sang et de son lait. L'inverse est aussi vrai. Le nouveau-né pousse comme la tige ou le tronc de l'arbre; il croît. Tout état de faiblesse dépend encore de la santé de cet environnement nutritionnel.

C'est important de commencer à varier le régime de l'enfant au fur et à mesure que son adaptabilité le lui permet. Cela crée un environnement avec une alimentation qui contient des éléments qui pourraient manquer au lait, surtout si nous lui donnons du lait de vache. L'enfant n'est pas un veau et son rôle est différent de celui du veau. C'est pour cela qu'il est important de s'assurer que les enfants reçoivent les macronutriments (protéines, huiles, hydrates de carbone) ainsi que les vitamines et les minéraux essentiels à cette première poussée pendant laquelle

1. Je vous incite à consulter le chapitre «Le bagage nutritif de l'être humain et la santé» dans mon volume **Une Vie Une Santé** (p. 185 et suivantes), dans lequel je traite de ce sujet plus en détail.

l'organe majeur à se développer est le cerveau avec ses sens.

LA MONTÉE DE LA SÈVE DANS LE TRONC

La sève extraite par les racines monte nourrir le tronc et les branches d'où émergent les feuilles, les fleurs et les fruits.

Pour nous, le travail des racines de notre arbre, c'est la digestion des aliments par la bouche, l'estomac et la première partie du tube digestif. La moindre atteinte à notre dentition, à notre salive, à notre acidité gastrique, au mouvement de l'estomac avec ses enzymes, à notre intestin et aux glandes pancréatique et hépatique (foie) rend difficile la formation des premières ébauches de sève (sang). Celle-ci peut être incomplète et il en résulte que le sang est anémique, ou que nous manquons d'anticorps pour nous adapter et résister aux microbes de l'environnement. Nous sommes alors soumis aux agressions bactériennes. L'assimilation des éléments nutritifs peut être difficile comme dans les diarrhées de toutes sortes, dans la maladie de Crohn, dans les entérites, dans le diabète, dans les gastrites et chez les gens édentés.

Ensuite, notre sève passe au foie. C'est là que se transforment les macro et les micronutriments, les acides aminés (venant des protéines alimentaires), les acides gras (venant des graisses et des huiles alimentaires), les sucres simples (venant des hydrates de carbone alimentaires), les vitamines et les minéraux tirés de la vitalité de nos aliments. Par la suite, le tout est envoyé vers le cœur et les poumons pour être purifié par le feu de l'oxygène, puis retourné au cœur gauche pour être pompé dans le tronc physique musculo-squelettique (servant à notre activité mécanique) et agir dans notre cerveau (servant à notre guide de réflexion pour que nous agissions avec habileté).

Il y a quelquefois beaucoup d'obstacles à la circulation de notre sève ou de notre sang, même si ce dernier est de bonne qualité. Par exemple, un foie embarrassé par les toxines d'un gros intestin constipé ne peut rassembler les éléments de notre digestion et de notre assimilation intestinales. Nous mangeons, mais ce sera comme si nous n'avions pas mangé. Une inflammation du foie, comme l'hépatite, bloque les transformations des éléments de la digestion qui nous nourriraient, et nous demeurons faibles. Un foie cirrhosé ne peut plus transformer les éléments nutritifs en sang nourricier et, conséquemment, les muscles et le cerveau manquent de vigueur. L'obstruction de la veine porte, les varices œsophagiennes sont des manifestations de l'obstruction cancéreuse ou de la cirrhose du foie.

Prenons maintenant l'exemple de l'individu qui n'a plus sa vésicule biliaire, qui ne possède donc plus le concentrateur de la bile. Sans bile concentrée, il assimile mal les huiles et la vitamine A; la peau et les muqueuses des bronches et du tube digestif sèchent; il assimile mal la vitamine E, devient mal protégé des toxines des selles et de l'alimentation et ses vaisseaux peuvent en être obstrués; il assimile mal la vitamine D et, secondairement, le calcium, de sorte que les os lui font mal. Il est important pour l'individu qui n'a plus sa vésicule biliaire de prendre des compléments en huile et en vitamines en plus grande quantité qu'un autre individu.

Que se passe-t-il lorsque le muscle cardiaque est mal nourri ? Il ne pompe pas suffisamment de sang et le foie devient engorgé par le sang stagnant. Nous avons beau nous alimenter, les éléments nutritifs atteignent à peine notre circulation et le cerveau et les muscles restent affamés. C'est ce que nous voyons dans l'insuffisance musculaire cardiaque, dans l'œdème du poumon, dans l'infarctus du myocarde, dans les maladies cardiaques en général.

Plusieurs facteurs vont empêcher, à un degré plus ou moins grand, l'oxygénation purificatrice du sang nourricier au niveau du poumon: toutes les maladies pulmonaires ou les mauvaises habitudes respiratoires, les sinusites, les obstructions nasales, les allergies respiratoires, les bronchites, les broncho-pneumonies, les pneumonies, la tuberculose, les fibroses pulmonaires, l'asthme, etc. À ce moment, le reste du corps ressent de l'essoufflement et de la fatigue.

Vous voyez comment il est important de bien nourrir tous les tissus et de pouvoir bien oxygéner tous les nutriments que nous mangeons. Une fois que le sang est oxygéné, il revient au cœur gauche et est pompé aux muscles, aux os et au cerveau, tout comme dans l'arbre la sève monte dans le tronc, (muscles et os) et dans les branches (cerveau).

LA POUSSÉE DE LA SÈVE ET SA DESTINATION

La sève gonfle le tronc et favorise une bonne écorce qui se cicatrise bien si les tempêtes et les animaux la blessent. Elle garde le tronc souple et solide, et empêche l'évaporation de l'eau pour pouvoir monter jusqu'aux branches. La sève est en quelque sorte «appelée» par les branches, les feuilles, les fleurs et les fruits. Éprouvé par les vents, le tronc est tiraillé et les racines lui offrent une prise de terre qui le renforce. Le sol s'écarte sous l'effet du tiraillement, donnant accès à de nouveaux éléments.

Il en va de même dans notre corps. Le cœur pompe le sang qui est «appelé» par les muscles. Le cœur pompe à 120 mm de mercure de pression et les muscles, s'ils sont actifs, non tendus et réchauffés, y font appel par une succion de 80 mm de mercure. Finalement, le cerveau reçoit le bénéfice de cette synergie d'action du cœur et des muscles.

Mais si le cœur est mal nourri, si les vaisseaux sanguins sont à demi-obstrués, si les muscles sont tendus par des pensées pleines de tension et de stress, si la pensée est noire donc, la sève ne peut pas se distribuer aux muscles et c'est la fatigue dans l'action, les levées du corps pénibles et les journées pesantes et épuisantes. C'est ce qui arrive avec l'artériosclérose qui se développe parce que nous avons consommé des huiles saturées, des graisses et des fritures mortes. C'est ce qui arrive lorsque le sang s'est épaissi par les régimes composés surtout de viandes, de desserts et de produits gras. La pression que le cœur doit fournir s'élève alors à 150 mm, puis à 180 mm de mercure: le cœur fatigue, les muscles ne reçoivent plus de sang nourricier et diminuent de volume (ils s'atrophient). La hausse de pression artérielle provoque une forte ondée vers le cerveau et la tête fait mal. Poussés à l'extrême, les vaisseaux peuvent se rupturer et c'est l'anévrisme de l'aorte ou l'accident cérébrovasculaire.

Ces conséquences auraient pourtant pu être évitées avec un régime comprenant suffisamment de potassium, des légumes et des fruits, des protéines végétales, des vitamines du complexe B, de la vitamine C, du calcium, du magnésium des plantes, de l'huile végétale de première pression à froid, de l'huile de poisson et de la lécithine. Avec ce régime, les vaisseaux sanguins sont moins tendus, les idées moins stressantes et les muscles moins crispés. Mais trop souvent, nous n'avons pas été guidés vers la nutrition et nous avons bouffé des médicaments pour contrecarrer les effets nocifs de la maladie (comme l'hypertension) sans corriger les causes de celle-ci par notre nutrition. **Faudra-t-il que les têtes éclatent pour qu'elles apprennent enfin que la nutrition est à la base de la santé des cellules et de leur fonctionnement ?**

LE RÔLE DE LA SÈVE NUTRITIVE

Comme nous venons de le voir, un mauvais entretien des canalisations qui conduisent la sève vers la périphérie de l'arbre influence la santé des branches comme du tronc. Mais si en plus la sève ne contient pas les micronutriments qui nourrissent le tronc, les feuilles, les fleurs et les fruits, alors l'arbre ne peut remplir ses rôles: donner de l'ombre au sol pour le garder humide, nourrir les fleurs pour qu'elles deviennent des fruits, capter la lumière solaire par ses feuilles et former, par la photosynthèse, les sucs énergétiques qui retournent aux racines pour que celles-ci puissent reprendre leur travail après la froidure de l'hiver.

Il en va ainsi de l'être humain mal nourri. Si son sang ne possède pas tous les micronutriments, il ne peut nourrir les muscles qui se fatiguent plus vite, rapetissent et offrent de la résistance au pompage du cœur. C'est à ce moment que l'être humain cherche un travail sans effort, qu'il chôme, qu'il végète, qu'il se désocialise et meurt rejeté par la Nature. Si de son côté le cerveau ne reçoit pas par le sang les micronutriments nécessaires, il se fait difficilement une idée, un idéal et la démotivation s'installe, l'initiative reste au berceau, la mémoire fait défaut, les expériences vécues accumulées ne sont pas utilisées, le cerveau se sclérose. Tous ces engourdissements et ces ankyloses diminuent l'expérimentation et voilà que notre être humain devient indigent et sans ressource individuelle. **Il avait pourtant un rôle unique à remplir**.

Le tronc de l'arbre, dont la sève manque de nutriments, se creuse et les branches sèchent. De la même façon, les muscles se creusent, deviennent inactifs et se fatiguent chez l'individu dont le sang est pauvre en nutriments. Moins tiraillés par l'action musculaire, les os se décalcifient et les jointures ne peuvent plus se nourrir ni se nettoyer par la lymphe. Alors s'installent les arthroses et les arthrites. On aurait pu éviter cela grâce à une petite gymnastique assouplissante quotidienne (Technique Nadeau, marche, natation, étirements) et à une alimentation constituée de protéines, de vitamines, de minéraux, de calcium, de magnésium, etc. On aurait évité que cet être humain ne devienne une loque attristée de ne pouvoir, par ses services, partager ses expériences et son amour aux autres, se privant ainsi de se sentir tellement plus utile.

Devant la maladie, seule la nutrition peut traiter la cause. La médication ne traite que les effets. Une sans l'autre, c'est la décadence de l'individu et sa dégénérescence, (SIDA, cancer, leucémie, sclérose, ankylose, arthrite, maladie de Crohn, colite, maladies graves). Et plus le temps avance sans qu'un correctif soit apporté au régime de vie et au régime alimentaire, plus l'individu voit ses fonctions cellulaires décroître, plus sa progéniture est faible et plus les générations qui suivent coûteront cher en soins médicaux, chirurgicaux et sociaux.

Plus l'individu a une bonne nutrition, plus la race est vigoureuse et moins elle est indigente et dépendante. **La santé, c'est l'expression de la force vitale, c'est la vigueur.**

CHAPITRE 15

LA SANTÉ OPTIMALE ET LE DOSAGE DES MICRONUTRIMENTS

Avec l'abandon de la culture de nos propres aliments et leur production industrielle accélérée grâce à des fertilisants, des engrais chimiques de toutes sortes et des arrosages d'insecticides puissants; avec les délais dans le transport, la cueillette et l'étalage avant maturité; avec la présentation d'aliments prétransformés et cuits dans la marmite chimifiée des industries transformatrices; avec notre manque de connaissances précises des choix à faire pour bien se nourrir; devant les statistiques des enquêtes qui nous révèlent que seulement 20 à 25% de la population se nourrit d'une manière balancée et équilibrée; il est devenu impérieux de recourir à la complémentation de notre alimentation.

De plus en plus d'individus le font et prennent conscience d'un regain d'énergie de leur santé corporelle et de l'amélioration de leurs attitudes devant le stress de l'existence. Mais il serait malvenu de complémenter d'une manière déséquilibrée avec des compléments alimentaires eux-mêmes déséquilibrés. Il est tout aussi important de rechercher l'équilibre dans un complément que dans son alimentation.

La recherche scientifique et les analyses à l'usage ont démontré qu'il existe des doses minimales et maximales à prendre quotidiennement et qu'il existe un danger à prendre des doses excessives. Aussi, une bonne connaissance de ces quantités minimales et maximales vous garantira une sécurité plus grande dans la personnalisation de votre prise de compléments nutritifs. Nous connaissons en quoi votre régime alimentaire est excessif: en graisses et en fritures surtout, mais aussi en sel (chlorure de sodium), en sucres raffinés, en additifs alimentaires (une moyenne pour chaque canadien de 10 livres par an). Mais ces connaissances ne nous disent pas toujours ce qui nous manque.

Le goût du sel est juste, mais c'est notre façon d'y répondre qui ne l'est pas. Ce sont des minéraux qu'il nous faut alors. Le goût du sucre est juste , mais encore ici c'est notre façon d'y répondre qui est inadéquate. Ce qu'il nous faut alors, ce sont des sucres complexes comme les hydrates de carbone que nous retrouvons dans les céréales complètes et dans certains légumes. Nos goûts de fritures et de graisses sont justes aussi; mais ce qu'il nous faut alors, ce sont des huiles de première pression pressées à froid pour obtenir les vitamines essentielles. Nous consommons trop de protéines animales et pas assez de protéines végétales pour le maintien de l'intégrité de nos tissus (nous avons 4 canines pour les viandes et 28 dents pour les fibres des végétaux). Voilà en résumé des points importants à comprendre.

Comme je le disais plus haut, il est important de rechercher des compléments équilibrés. Cela implique que les dosages soient clairement inscrits sur les contenants et que nous prenions le temps de les lire. Il y a sur le marché trop de produits qui consistent en un mélange d'herbages sans préoccupation aucune des quantités de nutriments qu'ils contiennent.

Pour connaître les dosages qui nous conviennent, trois choses peuvent nous guider: les connaissances scientifiques actuelles d'abord, la sensation personnelle de l'accroissement de notre vigueur ensuite, et enfin, la connaissance des doses minimales, des doses personnelles, des doses maximales et des doses toxiques que vous retrouverez en consultant le tableau qui suit.

TABLEAU 1: DOSAGE DES APPORTS EN MICRONUTRIMENTS

Micronutriments	Dose minimale	Dose maximale
Protéines	0.5 à 2 gm/kg	2 gm/kg
Vitamine A (bêta-carotène)	5 000 à 10 000 ui/jour	30 000 ui/jour
Complexe-B		
• B1 (thiamine)	100 mg/jour	500 mg/jour
• B2 (riboflavine)	50 mg/jour	300 mg/jour
• B3 (niacine)	50 mg/jour	800 mg/jour
• B5 (panthoténique)	200 mg/jour	1 000 mg/jour
• B6 (pyridoxine)	150 mg/jour	500 mg/jour
• B12 (cobalamine)	100 mcgm/jour	500 mcg/jour
• Acide folique	400 mcgm/jour	800 mcgm/jour
• Biotine	50 mcgm/jour	500 mcgm/jour
Vitamine C	250 mg/jour	5 000 mg/jour
Vitamine D	400 ui/jour	1 000 ui/jour
Vitamine E	400 ui/jour	1 000 ui/jour
Vitamine F (acide linoléique)	500 mg/jour	2 000 mg/jour
Minéraux		
• Calcium	1 000 mg/jour	2 000 mg/jour
• Magnésium	750 mg/jour	1 000 mg/jour
• Zinc	30 mg/jour	100 mg/jour
• Sélénium	150 mcgm/jour	300 mcgm/jour
• Fer	15 mg/jour	25 mg/jour
• Lécithine	1 000 mg/jour	5 000 mg/jour

Sur le contenant de vos comprimés de compléments alimentaires, on vous indique la quantité de micronutriments contenue dans chaque comprimé. Vous calculez votre besoin et vous évaluez le nombre de comprimés dont vous avez besoin. L'association de plusieurs nutriments dans un même comprimé favorise le bon équilibre d'action dans l'organisme.

De la même façon que vous ne prenez pas tous vos repas de la journée en une seule fois, il est préférable que vous ne preniez pas toute la complémentation requise en une seule dose. En répartissant votre prise de compléments aux divers repas, vous favoriserez une bio-disponibilité graduelle et l'organisme assimilera ces nutriments beaucoup mieux.

Nous verrons dans un prochain chapitre comment personnaliser votre complémentation suivant vos habitudes de vie et votre bilan de santé qui font varier nos besoins en vitamines, minéraux, protéines et huiles essentielles. Vous comparerez vos besoins en les indiquant sur une feuille, avec le tableau ci-dessus. Ainsi, vous demeurerez dans les limites mobiles de la sécurité et de la santé.

CHAPITRE 16

PERSONNALISEZ VOTRE COMPLÉMENTATION ALIMENTAIRE

Afin de vous aider à calculer une complémentation sur mesure qui vous procurera progressivement une santé optimale, je vais reprendre avec vous le bilan de santé que nous avons vu au chapitre 2 (Comment la Nature nous sert) et le questionnaire du chapitre 5 (Apprendre à vous connaître). Vous pourrez ainsi prendre des notes et ajouter à votre formule de base (chapitre 13) les micronutriments qu'il vous faut. Vous pourrez également corriger lentement les écarts alimentaires, les habitudes d'activité physique et, en plus, vérifier votre alignement de la colonne vertébrale, l'équilibre du déroulement de votre pas à la marche. Commençons par le bilan de santé. Vous pouvez vérifier dans le chapitre 11 les aliments contenant les vitamines et minéraux dont vous avez besoin.

PREMIERE PARTIE: QUESTIONNAIRE «LE BILAN DE SANTÉ»

QUESTION 1

Si vos parents sont décédés avant l'âge de 60 ans d'une maladie, et non d'un accident, vous pourrez penser que leur état de santé était déjà flanchant au moment de votre naissance et que cela a pu influencer votre résistance individuelle. Mais il vous est encore possible de remonter la côte de la santé en corrigeant votre régime de vie, vos habitudes alimentaires, en faisant plus d'exercice et en complémentant vos repas afin de vous accorder plus de courage pour persévérer. Sinon, la faiblesse de la santé de vos parents hypothèque la vôtre.

QUESTIONS 2, 3 ET 4

Les maladies familiales telles que l'hypertension, le diabète, les maladies de cœur, les allergies et le cancer sont des indices que les micronutriments nécessaires pour assurer la santé ont manqué. Même si, fondamentalement, vos parents avaient une assez bonne résistance, ces maladies influençaient leur longévité et leur dynamisme. Par exemple, les hypertendus manquent d'aliments frais végétaux (légumes et fruits) et sont souvent portés sur le sel, le gras, les fritures, les sucreries. Ces mauvaises habitudes entraînent de la constipation par un manque de fibres alimentaires qu'ils ont intérêt à ajouter à leur régime avec plus d'eau. Le zinc profite aux diabétiques, alors que le calcium-magnésium associé à la vitamine D aide les hypertendus. Par ailleurs, si vos parents ont souffert de cancer, vous devriez rechercher quels produits chimiques de leur environnement physique et alimentaire ont pu en être la cause. On sait que les vitamines C, E, la bêta-carotène de même que les fibres alimentaires sont de bons boucliers contre le cancer.

QUESTION 5

Si vous avez été hospitalisé pour une maladie quelconque, vous retrouverez les ajustements à faire un peu plus loin dans le texte.

QUESTIONS 6, 7, 8, 9, 10, 11, 12, 13

Ces questions indiquent le facteur de stress qui vous assaille quotidiennement. Le stress peut être dû à votre manque de confiance en vous qui se reflète en manque de confiance dans les autres. Il peut aussi être causé par un manque de résistance et de vigueur qui font que les événements de la vie vous paraissent lourds et difficiles à accepter. Vous acceptez mal les différences des autres parce que vous ne pouvez pas vous y adapter.

La vitamine C et les vitamines du complexe B peuvent s'ajouter à votre formule de base (voir le chapitre 13 pour plus de renseignements). Des périodes de calme pendant lesquelles vous prenez des respirations profondes et soutenues peuvent accroître votre oxygénation et, si vous les associez à de petits exercices d'essoufflement, vous vous sentirez mieux dans votre peau.

QUESTION 14

Vous prenez des médicaments? Vous n'êtes pas sans savoir que certains médicaments agissent sur vos micronutriments en en diminuant les effets ou en les accroissant. Je vous en donne une liste sommaire. Notez que plus de renseignements peuvent être obtenus dans le CPS chez votre médecin ou chez votre pharmacien.

1. **Les antiacides**
   Ils peuvent contenir du magnésium. Alors prenez du calcium en plus, sans dépasser le maximum prescrit. Les antiacides vous exposent aux excès d'aluminium, et réduisent la digestion et l'assimilation des aliments.

2. **Les antibiotiques**
   Si vous prenez des antibiotiques que votre médecin vous a prescrits, il serait bon que vous preniez des vitamines du complexe B pour compenser la perte d'acide folique et de biotine, ainsi que de la vitamine C. Les antibiotiques réduisent la formation de la biotine de votre intestin. Si vous prenez des antituberculeux comme l'isoniazide, prenez aussi de la vitamine B_6. La néomycine peut réduire les stocks de

vitamines A, D, E et K; il serait donc bon de compenser si vous devez suivre un tel traitement. Il est bon de cesser le lait et de prendre des capsules de ferments lactiques (capsules de yogourt).

3. **Les anticoagulants**
Ces médicaments peuvent avoir un effet accru si vous prenez des vitamines A, D, E et K. D'autre part, la vitamine C diminue l'effet de ces médicaments. Il est bon de prendre du zinc et du magnésium en plus. Beaucoup de phlébites sont dues aux anovulants associés à la cigarette.

4. **Les barbituriques, les calmants, les somnifères**
Ils peuvent avoir un effet moindre avec de la vitamine B_6. D'autre part, ces médicaments altèrent les états d'éveil et peuvent déranger les centres de la faim et de la soif et beaucoup d'autres sens. Demeurez alerte et corrigez plutôt les situations qui vous incitent à en prendre. Il y a des convulsions dues aux troubles de posture et de cervicalgie. Vérifiez votre alignement.

5. **La chimiothérapie du cancer**
Beaucoup de ces remèdes diminuent l'absorption du magnésium, et sont des antagonistes de l'acide folique du groupe des vitamines B.

6. **Les hypocholestérolémiants**
Beaucoup de médicaments que vous prenez pour réduire le cholestérol du sang peuvent diminuer l'assimilation des vitamines A, D et E. Quand vous consommez ces médicaments, prenez des compléments de bêta-carotène, de vitamine D, de vitamine E et de la lécithine.

7. **Médicaments de cortisone**
L'ajout de calcium, de vitamines C et D, de zinc et de magnésium vous aiderait. Il faut réduire le sel de sodium quand vous consommez ces remèdes. Enlevez

le plus de sel possible et les aliments salés de votre régime alimentaire. Attention particulièrement aux fromages salés.

8. **Dilantin**
   Il peut réduire l'activité de la vitamine D et de l'acide folique. Il entrave le métabolisme de la thyroïde et de la moelle et provoque une forte pilosité et l'hypertrophie des gencives. Aidez-vous en vous complémentant avec des vitamines du complexe B et de l'acide folique.

9. **Laxatifs, huile minérale**
   Les huiles minérales réduisent l'assimilation des huiles essentielles et des vitamines A, D, E et K. Voyez à corriger votre situation en augmentant plutôt les fibres alimentaires, en buvant plus d'eau et en marchant régulièrement. Ajoutez ces vitamines: bêta-carotène, D et E.

10. **Contraceptifs oraux**
    Les contraceptifs augmentent vos besoins en vitamines du complexe B (acide folique), en zinc et en vitamine C. Augmentez-en la consommation. Ne fumez pas avec la prise de ces poisons, car vous aurez des phlébites. Il y a tellement d'effets secondaires.

11. **L'aspirine**
    Vous avez de plus grands besoins en vitamines C, K et en fer. À longue échéance, peut provoquer des papillomes de la vessie et des ulcères gastriques.

QUESTION 15

Lorsque vous avez des problèmes d'excès de poids, vous êtes souvent sollicité pour des régimes amaigrissants. Retenez qu'un régime de moins de 1 600 calories par jour peut entraîner des déficiences en vitamines et en minéraux. En plus, un régime amaigrissant mal balancé peut bien vous faire perdre des muscles et des os plutôt que de la graisse, occasionnant ainsi de la fatigue. Voyez à complémenter vos repas, mangez plus de fruits et de légumes frais, consommez du pain de blé entier et diminuez les graisses animales, les desserts et les fritures. En plus, brossez-vous la peau durant vos bains.

QUESTION 16

Dormez 7 à 8 heures par nuit et prenez un complément de calcium-magnésium au souper afin qu'à l'heure de votre coucher vous soyez plus relaxé. Éliminez le café, le thé, le chocolat et les sucreries.

QUESTION 17

Il est très important de prendre un petit déjeûner complet. Son énergie vous parviendra à deux heures de l'après-midi. Vous serez alors plus patient et plus productif au travail. Le dîner peut être plus frugal et composé surtout de végétaux si vous ne travaillez pas en plein air. Votre souper peut être un peu plus copieux et pris dans la joie et le calme, en famille si possible.

QUESTION 18

Le ballonnement, les indigestions et les brûlements gastriques sont des avertissements qui peuvent signifier que vous mangez trop tendu et trop vite, que vous ne mastiquez pas assez, que vous vous écrasez après le repas, que vous ne prenez pas assez de légumes frais, que votre gros intestin est constipé et que votre foie en souffre, que vous avez des pierres dans la vésicule, etc. Corrigez donc la situation en mangeant plus de fibres et en prenant davantage de vitamines du complexe B, du calcium et du magnésium.

QUESTION 19

Un intestin irritable ou lent est un signe que votre régime alimentaire renferme trop de produits chimiques.

Protégez votre intestin en prenant plus de fibres, de l'eau distillée et des vitamines B, C, et E.

QUESTIONS 20, 21 ET 22

Votre respiration dépend à la fois du plein air que vous prenez, de l'endroit où vous le prenez et aussi de la bonne forme des muscles du thorax et des muscles posturaux. Les individus au dos rond sont sujets à des troubles respiratoires ainsi que ceux qui ont un déséquilibre plantaire. En souffrent également les gens constipés, ceux qui consomment trop d'additifs chimiques et de sucres. Augmentez votre consommation de luzerne jusqu'à 5 à 8 comprimés à chacun de vos repas, prenez plus de vitamines C, E et de la bêta-carotène.

QUESTION 23

Le temps de convalescence dont vous avez besoin est un excellent indice de vos capacités de récupération. Si votre convalescence est longue, prenez des compléments de vitamine C et du zinc. De plus, si vous avez eu une cicatrice, l'état de celle-ci peut vous dire si votre nutrition est adéquate. Si cette cicatrice est vicieuse (keloïde), ajoutez de la bêta-carotène et des protéines en plus.

QUESTIONS 24 ET 25

Un individu qui présente des allergies n'a pas toujours été ainsi. Si on remonte dans son histoire, on s'aperçoit tout d'abord que son état de résistance a diminué et que des variations de l'environnement respiratoire et alimentaire se sont manifestées. Sa résistance diminuant, il a eu des **irritations** nasales, intestinales ou cutanées. Puis, l'irritation a laissé la place à des **sécrétions**. Les poussières irritantes ou les irritants alimentaires sont demeurés longtemps en contact avec les muqueuses affaiblies et celles-ci, par le truchement des cellules de défense, se sont mises à sécréter des anticorps. La stase des sécrétions chargées d'anticorps a réagi avec les antigènes des poussières ou allergènes et l'apparition d'histamine a provoqué des spasmes des muscles lisses, des capillaires, des muqueuses. C'est alors que les allergies se sont manifestées. Toute constipation, toute congestion hépatique (du foie), tout engorgement des tissus, tout épaississement des sécrétions favorisent les crises allergiques.

Cet individu doit cesser, pour une période d'un à deux mois, de consommer des aliments d'origine animale. Il doit aussi prendre beaucoup de fibres pour nettoyer son intestin et son foie, et décongestionner ses muqueuses. L'addition de grandes quantités de luzerne, de vitamines du complexe B, de bêta-carotène, de vitamines C et E et un régime riche en végétaux frais vont accroître sa résistance et lui épargner de prendre des médicaments pendant de longues périodes. L'élimination des additifs chimiques alimentaires et un bon nettoyage des denrées alimentaires peuvent aussi améliorer sa situation et redonner aux muqueuses et à la peau leur résistance adaptative.

QUESTION 26

L'habitude de prendre régulièrement du tabac et de l'alcool provoque une surutilisation de certains nutriments. Pour celui qui fume, la bêta-carotène et la vitamine E deviennent des protecteurs de ses muqueuses respiratoires. D'après les connaissances que nous en avons, une cigarette entraîne la dépense de 25 mg de vitamine C. Il est donc recommandé d'en ajouter à votre régime en proportion de la quantité de cigarettes fumées. En plus, il faut se protéger du cadmium contenu dans les cigarettes. Le zinc associé aux vitamines C et E offrent cette protection jusqu'à ce que, mentalement, vous soyiez prêt à cesser. Les fumeurs de marijuana, plus encore que les autres, requièrent cette protection.

L'alcool est un voleur de micronutriments et de vitamines. Sans vous expliquer tous les mécanismes, il serait bon que vous ajoutiez de la lécithine qui vous aidera à former de la choline, de la myéline et des acétylcholines pour vos nerfs et votre foie. Les buveurs brûlent plus de vitamines du complexe B et de magnésium. Il serait bon qu'ils consomment beaucoup de luzerne, plus de zinc, de calcium-magnésium et des vitamines du complexe B. Comme l'alcool irrite les muqueuses, un complément de bêta-carotène protégera celles-ci. Pensez aussi que l'alcool fournit autant de calories que les graisses; en plus, il neutralise les centres nerveux, ralentit les réflexes et neutralise le centre de la soif et de la faim. Vous pouvez ainsi ne pas entendre les signaux d'alarme de votre organisme.

QUESTIONS 27, 28 ET 29

La peau, les ongles et les cheveux sont ce que nous appelons les téguments et les phanères. Les fibres, l'eau en plus grande quantité, les vitamines du complexe B et la bêta-carotène surtout sont directement impliquées dans l'intégrité des téguments qui sont des indicateurs fidèles de l'état nutritionnel d'une personne. Des ongles tachés de blanc indiquent une déficience en zinc. Les ongles cassants et minces indiquent une déficience en huile essentielle comme l'acide gamma-linoléique (vitamine F), en calcium et magnésium et en lécithine. Un manque de fer donne des ongles en forme de cuillère.

Une peau sèche nous renseigne sur le métabolisme de la thyroïde, sur la constipation, sur le malfonctionnement de la vésicule biliaire ou sur son absence. Pour avoir une peau douce, nos grands-mères savaient qu'il nous fallait de la graine de lin qui contient de l'acide linoléique. L'individu qui souffre de psoriasis et d'eczéma manque souvent de complexe B, de vitamine E, de lécithine et d'acide linoléique et de bêta-carotène. En plus, il exagère souvent en se nourrissant avec des aliments chimiquement frelatés par des préservatifs et des colorants. Il ne consomme pas assez de végétaux frais et de fruits. Par contre, il connaît bien les desserts, les viandes et les charcuteries. Un bon nettoyage du gros intestin et, par ricochet, du foie, améliorera la situation.

Les mamans qui manquent de minéraux, de vitamine E et de zinc ont souvent des bébés qui ont l'intestin, les bronches et la peau fragiles à diverses maladies. Les mêmes compléments peuvent les aider.

La **cicatrisation de la peau** est un indice de l'état de santé. Si vous prenez plus de 5 à 7 jours pour cicatriser, soyez certain que vous manquez de protéines, de zinc, des vitamines A, B, C et E et des huiles essentielles. La formation d'un **kéloïde**, c'est-à-dire d'une cicatrice rouge et bourgeonnante, en est un indice. La formation d'adhérences dans le ventre est identique au kéloïde. Les chirurgiens en plastie qui connaissent bien leur nutrition recommandent ces nutriments. Même avant une opération, quand nous pouvons nous y préparer trois mois à l'avance, ou après, faute de mieux, vous constaterez qu'une bonne complémentation favorise une meilleure convalescence. Pourquoi ne pas en faire une habitude de vie ?

Les **vergetures** sont aussi un indice d'une faiblesse en fibres de soutien comme l'élastine, la réticuline et le collagène. Une complémentation comprenant des protéines, des vitamines du complexe B, des vitamines E, de la bêta-carotène, du zinc et du magnésium avant la gestation préviendra ces vergetures. Il en est de même pour les obèses et les sportifs. La peau sera plus souple, plus élastique et résistera à l'étirement.

QUESTION 30

Une bonne **vue** dépend à la fois de l'intégrité du cerveau, du bon équilibre des muscles qui donnent le mouvement aux yeux, de la nutrition et de l'équilibre des pieds qui favorise une bonne oscillation à la marche. Dans la chambre antérieure de l'œil, il y a une circulation d'eau selon une certaine pression. Elle est augmentée dans la maladie du **glaucome**. D'autre part, le vieillissement de la lentille de l'œil va amener des **cataractes.** Il est donc important d'abord de marcher et de courir de temps en temps pour avoir une bonne vue, d'avoir ensuite une correction dynamique du déroulement du pas, et enfin de bien se nourrir. La bêta-carotène favorise la vision nocturne; les vitamines C et E préviennent et améliorent la transparence de la lentille chez ceux qui ont des **cataractes** ou dont les membres de la famille en ont été affectés. Enfin, une bonne symétrie du crâne va faire en sorte que les muscles des yeux fonctionnent en équilibre, permettant une vision au foyer.

QUESTION 31

On ne prend pas souvent conscience de l'ouie et du système vestibulaire, à moins d'avoir des **sillements** ou des **bourdonnements d'oreilles**, de la **surdité**, un manque d'équilibre ou du **vertige**, ces deux derniers indiquant un défaut du système vestibulaire. L'intégrité des nerfs dépend en grande partie d'une saine ossature autour des trous du crâne. Ceux qui font de l'arthrose ont souvent une hypertrophie de la matrice osseuse et vont présenter ce type de problème ainsi que le **syndrome du tunnel carpien** (au poignet). La lécithine, le complexe B, l'acide gamma-linoléique, le calcium-magnésium et la vitamine D devraient faire partie de leur complémentation. Si l'hypertension est aussi de la partie, il est bon de restreindre la vitamine E qu'on ré-ajoutera dès que la pression artérielle sera revenue à la normale.

QUESTION 32

Les **problèmes de marche**, d'**équilibre** et de **coordination** dépendent de plusieurs systèmes. Sur le plan neurologique, il faut vérifier d'abord l'intégrité du cerveau et de la moelle épinière. Cependant, les choses les plus visibles sont souvent les plus négligées. Par exemple, on néglige trop souvent de scruter le régime alimentaire pendant les années qui ont précédé les difficultés. On néglige aussi de vérifier le **tripode d'appui plantaire**, l'**usure de la chaussure** et l'**équilibre de la posture**. Ces derniers éléments peuvent sembler sans intérêt et pourtant, de la même façon qu'une auto qui roule doit avoir des pneus bien balancés et bien alignés, ainsi en est-il de l'être humain. C'est grâce au chemin parcouru que les défauts de balancement et d'alignement deviennent évidents et que l'usure s'accélère. La **sciatique** ou sciatalgie de même que les **lombalgies et l'hernie discale** sont des problèmes secondaires à ces défauts de posture aux jambes, au bassin et à la colonne.

Il est important que le diagnosticien ait une vision de la relativité de la mécanique humaine. Les spécialistes du pied et de la colonne peuvent alors vous aider. Ce qu'il faut retenir aussi, c'est que ces difficultés font que vous vous fatiguez plus rapidement. Vous pouvez alors penser à tort que votre forme physique est déficiente et éprouver de fréquentes périodes de rage de sucre pour répondre aux exigences des efforts mécaniques que provoque votre désalignement. Il devient alors important de recourir à une complémentation à partir de nutriments qui vous offrent à la fois des protéines, des hydrates de carbone, des lipides, des vitamines et des minéraux, plutôt que seulement du sucre.

QUESTION 33

On pourrait écrire un chapitre complet sur les **maux de tête**, les **céphalées** et les **migraines**. Essayons de résumer le tout en disant que lorsque ces problèmes se manifestent, il faut vérifier plusieurs éléments. D'abord ces structures de la tête qu'on appelle les sinus, ensuite vérifier la présence d'allergies, la vue, la dentition (les molaires arrières bien apposées les unes sur les autres). Il faut aussi vérifier les trois mouvements du cou (oui, non et peut-être), la colonne vertébrale et finalement si les pieds sont bien d'aplomb.

D'autre part, les additifs alimentaires présents dans les aliments pré-transformés sont des causes fréquentes de maux de tête; mentionnons les sulfites, les nitrites, le café, le chocolat, la réglisse, le glutamate de sodium, etc. Souvent, les hypertendus peuvent aussi ressentir les pulsations de leur cœur au niveau de la tête.

Le régime alimentaire, le type de travail que vous faites, la mobilité fréquente du cou et des yeux peuvent vous éviter bien des maux de tête. Chez les femmes, il est important de veiller à ne pas avoir des talons de chaussures trop élevés (2 cm, c'est assez).

QUESTION 34

Les crampes dans les bras et les jambes ont plusieurs significations et se doivent d'être examinées dans le contexte et la situation de leur apparition. C'est le rôle du médecin d'y voir. Mais lorsque le cœur n'est pas en cause et que les artères sont perméables (non bouchées), il faut chercher ailleurs. Le déséquilibre plantaire, l'insuffisance de vitamines du complexe B, l'insuffisance de calcium, de magnésium et de vitamine D ou l'insuffisance d'acide gras essentiel comme la lécithine et l'acide gammalinoléique peuvent en être la cause.

Durant le sommeil, des crampes peuvent apparaître parce que le muscle au repos ne reçoit pas les nutriments et l'oxygène dont il a besoin. Le massage et la chaleur peuvent alors aider. Quelquefois, les crampes apparaissent après le repas, lors d'un exercice quelconque, parce que le sang est utilisé pour le travail digestif et n'est plus disponible pour le travail musculaire. Il peut s'agir de défauts vasculaires, vertébraux ou métaboliques.

QUESTION 35

Les douleurs articulaires provoquées par le **rhumatisme,** l'**arthrose** ou l'**arthrite** sont peut-être les signes contemporains les plus fréquents d'un mauvais fonctionnement de la machine humaine. Le travail démesuré dans une direction, la nutrition inadéquate par rapport aux dépenses énergétiques, le sport excessif, les ambitions effrénées, le mauvais alignement des pieds, les traumatismes répétés, le manque de relaxation ou de repos adéquat, le stress durant les périodes de croissance, la consommation d'additifs alimentaires, les excès de sucres et de viandes rouges... autant d'éléments à réviser afin d'y trouver l'origine de ces maux. Pour remédier à cette situation, vous devrez tenir compte de ce qui suit: la modération, un régime alimentaire varié, une complémentation de luzerne, de calcium-magnésium et de vitamine D, des modifications de votre régime alimentaire (mentionnées ci-haut), des exercices de réchauffement et de souplesse et l'évitement du sédentarisme. Voilà la solution à cette situation qui vous tracasse et vous fige, une solution qui devrait vous donner des ailes. Un bon bain chaud de dix minutes en y faisant des petits mouvements de souplesse n'est pas à négliger comme traitement.

QUESTION 36

Les taches bleues sous la peau (**pétéchies, ecchymoses, hématomes**) sont le signe d'une fragilité des capillaires, d'une stase de la circulation lymphatique, de problèmes de coagulation sanguine et, finalement, de problèmes inflammatoires dus à des infections virales ou bactériennes. Votre médecin doit chercher avec vous ce qui, dans votre façon de vivre, peut occasionner ces problèmes. L'exercice modéré, un régime sain et une complémentation de vitamine C, de zinc, de vitamine E et d'acide gamma-linoléique améliorera la situation avec le temps.

Les **varices** et les **phlébites** peuvent aussi être améliorées si, en plus d'avoir les pieds d'aplomb, vous évitez les anovulants, la cigarette, le vin, la constipation et les ceintures qui vous étouffent le ventre. La bicyclette sur place aide à diminuer la **cellulite** en améliorant la circulation de la lymphe et en drainant les toxines tissulaires qui provoquent de l'**arthrite** et des **vasculites**. Dans la situation de varices, il faut vérifier si la plante des pieds est en contact avec le sol. Éliminez la pression sur les cuisses et l'abdomen. Allongez-vous les jambes pour qu'elles soient plus élevées que le corps et portez des bas support (Parke-Davis par exemple). Il est recommandé de prendre de la vitamine C, du zinc, de la vitamine E et de l'acide gamma-linoléique.

QUESTION 37

Les **engourdissements**, les **picottements** aux extrémités des orteils et des doigts peuvent indiquer des problèmes de conduction nerveuse ou encore de circulation sanguine. Le syndrome ou maladie de Raynaud et la maladie de Burger en sont les pires formes. L'acrocyanose en est une manifestation moindre. Il faut encore ici que votre médecin et vous déterminiez les circonstances de leur apparition: l'exercice, le froid, le jour ou la nuit, avec ou sans association à un aliment particulier. Nous savons par expérience que ce qui vous aidera, ce sont les vitamines du complexe B, la vitamine E et la lécithine. Évitez les additifs que peuvent contenir vos aliments et vous améliorerez grandement votre état. Mais, une fois la situation corrigée, le temps et la patience demeurent les meilleurs thérapeutes. Le zinc, le calcium et le magnésium manquent dans le régime alimentaire de ces gens.

Ceux qui sont portés aux excès d'alcool et qui, en plus, font du diabète, peuvent bien dire qu'ils se sentent parfois les pieds ronds. C'est qu'ils développent une **radiculopathie**; leurs racines nerveuses sont en difficulté. Se soustraire à l'alcool, complémenter avec du magnésium et des vitamines du complexe B et surtout manger aux trois repas devient primordial pour eux. Comme les alcooliques sont des individus qui, souvent, n'ont pu recevoir de l'affection des autres par l'amitié, ils recherchent cette attention comme un enfant, par la pitié qu'ils peuvent provoquer. Mais ils sont les plus dupes de leur attitude. Ils devraient apprendre à s'aimer, s'ils ne l'ont pas appris durant leur enfance. Essayez de prendre dix comprimés de luzerne par repas.

QUESTION 38

Les **fractures** fréquentes peuvent être le propre de l'individu qui n'est pas d'aplomb sur ses pieds, plus sujet de cette façon aux accidents. Ceux qui ont une fracture au moindre faux mouvement devraient faire l'objet d'une attention particulière. Ils sont peut-être les victimes inconscientes de l'**ostéoporose**, cette décalcification des os que nous observons chez plusieurs: ceux qui cessent leur activité physique et les efforts dans leurs mouvements; ceux qui manquent d'aliments riches en vitamines D, en calcium, en magnésium et en phosphore; ceux qui manquent de protéines, de vitamines du complexe B, de bêtacarotène et de vitamine C. Le sédentarisme et la chimification des aliments, ces deux grands maux de ce siècle, en sont les causes. Mais la pire des causes, c'est l'abandon de la culture de nos aliments et l'abandon du travail de la terre. Il faudra un retour aux sources avant longtemps, pour la population en général et surtout pour les jeunes: c'est la seule école.

QUESTION 39

Il faut distinguer **le sport** et **l'activité physique**. Le sport perd souvent les ambitieux au lieu de leur apporter les résultats d'un bon effort physique. Le soin des traumatismes qui font suite à l'activité sportive représente une dépense importante des régimes de santé. Il faut être actif, il faut des efforts variés, il faut que le muscle exerce une traction sur les os, qu'il devienne ferme, qu'il fasse circuler le sang, qu'il nourrisse les sens par ses mouvements. Bien sûr ! Mais la publicité est à la paresse, à la facilité, à l'aise, donc aux malaises... La fatigue musculaire est consécutive à une mauvaise alimentation beaucoup plus souvent qu'à un surcroît de travail.

QUESTION 40

J'ai découvert que ceux qui se sont occupés de prendre une complémentation se portent mieux. Ce sont aussi des gens qui se sont éveillés à un meilleur choix d'aliments et qui ne ménagent ni leurs deniers, ni leurs efforts pour retrouver un style de vie plus sain, plus joyeux et plus enthousiasmant. Tous ceux qui disent que cela n'en vaut pas le prix dépensent pourtant sans compter les deniers publics sans se soucier de celui qui paye. **Prendre des compléments de vitamines et de minéraux, c'est prendre la bonne direction.** Le faire avec modération et prudence bien sûr, mais le faire d'abord avec la conscience de la pauvreté de nos aliments cultivés industriellement, conservés irrespectueusement et pendant de longues périodes de temps avant d'atteindre notre table. Cette prise de conscience devrait faire de la complémentation un moyen nécessaire des temps modernes.

Avant que nous retournions tous à la terre, il nous faut conserver nos forces, élever des enfants vigoureux et conserver l'énergie nécessaire pour nous accorder et vivre en harmonie dans la société. **Ceux qui se complémentent réussiront et auront la patience d'attendre la venue d'une ère plus saine.**

Voilà donc résumées en quelques lignes les préoccupations qui sous-tendent les questions auxquelles vous avez répondu dans votre bilan de santé du début. J'espère que vous avez pris quelques notes et rempli la grille qui vous aidera à formuler les modifications à votre régime de vie, à vos activités de plein air et à votre alimentation. De plus, ce chapitre vous a indiqué quelques compléments qui pourraient vous apporter une nouvelle vigueur que votre alimentation ne vous a pas fournie jusqu'à maintenant. Il est important que vous réalisiez aussi que dans les questions 24 à 40, la bonne équilibration est importante. Pensez à votre posture, assise, debout et à la marche;

voyez si la longueur de vos jambes est symétrique; regardez l'usure de vos chaussures afin d'identifier des problèmes éventuels d'équilibration.

Avec la lecture de ce qui précède, vous avez touché superficiellement à diverses questions concernant des aspects de votre santé. Vous avez fait plus que répondre à des questions, puisque vous avez suivi un peu le raisonnement des réponses. **Votre expertise s'accroît avec la compréhension.** Je vous encourage à relire les chapitres dans lesquels je décris les nutriments, les vitamines et les minéraux ainsi que les sources alimentaires de chacun (chapitres 11 et 12). Cela vous aidera à corriger progressivement votre régime alimentaire et vous épargnera l'usage exclusif de la complémentation. Il est certain que certaines de nos négligences peuvent avoir laissé des cicatrices indélébiles, mais votre vigueur doit se réaliser dans les cellules vivantes qui persistent. **Nourrissez-les mieux et elles rempliront mieux leurs fonctions.**

DEUXIEME PARTIE: QUESTIONNAIRE «APPRENDRE À VOUS CONNAITRE»

Dans le chapitre 5, le questionnaire «Apprendre à vous connaître» constituait un inventaire de ce qui peut influencer votre échelle nutritive et vous aider à accéder plus judicieusement à des correctifs alimentaires et à la complémentation. Révisons maintenant ensemble les divers points qui le composent.

PREMIÈRE CONSIDÉRATION: L'ÂGE ET LE SEXE (Questions 1,2)

D'après mon expérience et celle d'autres nutritionnistes médicaux, **les hommes** mangent très fréquemment ce qu'ils veulent selon leurs préférences. Et beaucoup se contentent de viandes rouges avec des graisses, des produits chimiques et du sel à excès. Plusieurs n'y ajoutent que des desserts et prennent très peu de légumes et de fruits frais (ulcères digestifs). En conséquence, ils présentent souvent des déficiences en sélénium, en zinc, en fibres, en potassium et en magnésium. Les cardiaques ont des carences en calcium, alors que les ambitieux, souvent exposés à l'alcool dans leurs rencontres sociales, et mangeant régulièrement à l'extérieur, au restaurant, sont exposés aux radicaux libres, aux fritures, aux matières grasses et aux nitrites et glutamate de sodium. Ils manquent alors des vitamines du complexe B, de fer, de calcium ainsi que des vitamines C, E et de zinc.

L'adolescent en poussée de croissance a des besoins particuliers en zinc, en calcium, en vitamines B et D. Les fibres sont souvent un élément manquant important de leur alimentation, ce qui provoque l'acné, la constipation, l'appendicite, les maux de ventre, la mononucléose et l'hépatite. Les repas en «fast-food» pris fréquemment sont causes d'entérites et de colites ulcéreuses.

Les aînés doivent tirer de leur régime alimentaire suffisamment de vitamine D, de calcium et de phosphore pour se protéger de la décalcification. Étant souvent seuls à table, la préparation alimentaire et la variété peuvent manquer. Souvent, les organes comme le foie et le rein vont s'atrophier, et les os se décalcifier. Le manque d'activité physique peut faire régresser les muscles et ralentir l'évacuation du gros intestin. Il est bon qu'ils ajoutent des fibres, de l'eau, des vitamines C, D, E, celles du complexe B, du zinc et du sélénium.

Chez les **femmes**, les demandes particulières faites à leur organisme par les **menstruations**, la **conception**, l'**allaitement** et la **ménopause** signifient aussi des besoins spéciaux en vitamines et minéraux qu'elles obtiendront d'abord par une alimentation variée et, ensuite, par une complémentation de base appropriée à laquelle elles ajouteront de la vitamine B, C, E et du zinc.

Les femmes sont particulièrement sujettes aux déficiences en fer qui les rendent plus vulnérables aux infections à champignons et à l'anémie. En plus, le calcium absorbé par les bébés qu'elles portent peut provoquer un manque chez ces dernières et, de ce fait, les rendre plus susceptibles de développer l'**ostéoporose**. Évidemment, la vitamine D et le magnésium doivent être associés au calcium pour en faciliter l'assimilation. Celles qui ont **perdu leurs ovaires** peuvent facilement perdre le calcium osseux; il en est de même pour ceux et celles qui n'ont **plus de vésicule biliaire**. La prise de **contraceptifs** diminue le taux d'acide folique et de vitamines du complexe B.

D'autre part, elles devraient savoir que la vitamine A ou la bêta-carotène associée à l'acide gamme-linoléique sont souvent de bien meilleurs produits de beauté que tout ce qu'elles peuvent s'appliquer sur la peau. La prise de fibres et d'eau garde le teint frais et rosé en éloignant les yeux cernés, typiques de la constipation.

Le syndrome de **tension prémenstruelle**, caractérisé par des céphalées, de la nervosité, de la congestion et de l'anxiété, est très souvent traité avec succès en augmentant la consommation de protéines végétales, en réduisant celles de sucre, en ajoutant de la vitamine B_6, ou celles du complexe B, et de l'acide gamma-linoléique (AGL).

Les **menstruations abondantes** peuvent être réduites en mangeant plus de légumes verts en feuilles.

Quant à la **grossesse**, elle requiert que les femmes mangent en pensant à deux personnes. Elles ont alors besoin de plus de sommeil et d'activités régulières sans stress. En évitant les trop grandes doses de vitamine C (500 mg par jour) et de vitamine B_6 (20 à 30 mg par jour), il demeure important de prendre de la bêta-carotène, des vitamines D, E et celles du complexe B, de l'acide folique, du calcium, du fer, du magnésium et du zinc.

Les mères qui allaitent, comme celles qui n'allaitent pas et qui veulent refaire leurs forces plus rapidement, peuvent continuer cette même complémentation. Elles amélioreront ainsi leur patience dans les soins à donner au nouveau-né.

La **ménopause** est une autre période importante. Il est bien connu que vos problèmes seront plus grands si vous n'avez pas résolu vos problèmes de **constipation** avec plus d'activité, d'eau, de fibres et en veillant à maintenir une saine musculature. La complémentation en calcium devrait commencer avant la ménopause, puisqu'il y a 8 femmes pour 1 homme qui seront affectées par l'ostéoporose. En plus de consommer plus d'aliments frais, la complémentation devrait comprendre des vitamines du complexe B, de la vitamine D et E, du sélénium, du calcium, du magnésium. Les «bouffées de chaleur» ne sont dues qu'à l'accumulation de toxines depuis quelque vingt ans.

DEUXIÈME CONSIDÉRATION: L'HISTOIRE FAMILIALE (Question 3)

Lorsque votre médecin vous questionne sur vos antécédents familiaux, son but n'est pas d'y trouver des coupables, ni de vous apeurer, ou de vous culpabiliser. Il veut connaître le terrain qui nourrit vos racines. Vous comprendrez facilement que si nous semons un bon grain dans une terre affaiblie, la croissance de l'arbre en sera affectée, de même que sa production de fruits. Il en est de même pour vous. Votre mère a été votre premier terrain et votre grand-mère a été le terrain de votre mère. Votre père, dont le rôle était de pourvoir à la qualité de l'alimentation de votre mère, a pu avoir une santé défaillante qui a affecté sa vaillance, sa patience et son courage. Ainsi, vos antécédents sont importants à connaître pour vous mettre, vous et votre médecin, sur la piste de vos faiblesses afin de pouvoir y remédier. L'apport fourni par la complémentation au sol nutritif et la correction des habitudes alimentaires de la famille seront du plus grand secours pour l'amélioration de votre vigueur et de votre santé.

Un plant faible qu'on repique dans un sol appauvri engendre une semence encore plus faible. À nouveau, cette semence dans un sol pauvre en nutriments engendre une pousse maladive, des malformations congénitales, des «cancers», etc. De la même façon, sur trois générations de rue en ville, nous verrons les anomalies congénitales pleuvoir sur certaines familles, la longévité diminuer, la stérilité et la marginalisation apparaître.

En plus d'une correction des habitudes alimentaires, il faut alors une complémentation de base à chacun de vos repas afin de raviver la santé cellulaire: du zinc, des vitamines A, B, C et E, des huiles essentielles, du calcium, du magnésium. Ce sera difficile de refaire la santé, défaite par l'ignorance de trois générations, mais **tant que Dieu vous prête vie, conservez votre patience et votre courage et luttez pour une santé optimale.**

Nous réviserons maintenant en bref chacune des maladies mentionnées dans ces questions en rapport avec l'histoire familiale.

Une maman décédée avant soixante ans a fort probablement vécu avec une grave déficience alimentaire, à moins d'avoir eu un accident. Sa faiblesse a pu se manifester par des naissances prématurées, des fausses-couches et des malformations congénitales ou génétiques. Son portrait-type est à peu près le suivant: un goût marqué pour le sucre, une négligence à prendre ses trois repas par jour, un apport limité en fruits, légumes et légumineuses, des grossesses sans complémentation aucune et relativement rapprochées, une négligence à prendre le temps et les moyens qu'il faut pour refaire ses forces. Elle a pu souffrir de diabète, d'hypertension, d'obésité, d'arthrose ou d'arthrite; elle mangeait souvent au restaurant et des aliments de type «fast-food». Et elle a pu souffrir de dépression, d'insomnie et de céphalée.

Si c'est le portrait-type de votre mère, nul doute que vous devrez complémenter toute votre vie pour conserver vos forces. D'autre part, visitez donc une tante en bonne santé qui, elle, doit sûrement faire mieux la cuisine et mieux équilibrer ses repas. Cela vous aidera.

Les **malformations congénitales** sont souvent associées à l'exposition à des agents physiques et chimiques de l'industrie. Elles sont aussi reliées à une déficience en zinc ou en vitamine E et à une immunité appauvrie en raison d'un régime faible en protéines et en acides aminés variés et complets.

Les **cancers** sont très souvent le résultat de carences alimentaires parce que nous avons été «embarqués» dans une alimentation préparée industriellement, négligeant ainsi une cuisine saine et préparée à la maison. Notre manque de vitamines A, C et E nous a rendus vulnérables aux radicaux libres de la chimie alimentaire industrielle. Nous ne mangions pas assez vivant et varié; nous sommes devenus congestionnés, stagnants, sédentaires et inactifs; nous avons négligé l'élimination des déchets du gros intestin, du rein, du foie et de la peau.

Pour contrer tout cela, il faut boire la meilleure eau possible, prendre régulièrement des fibres, ajouter les vitamines ci-haut mentionnées, aller à la selle deux fois par jour, nous débarrasser de la cellulite et de la congestion par des aliments frais comme les fruits, les légumes et les légumineuses et restreindre un peu notre goût pour les viandes rouges et le gras animal. Enfin, il faut choisir des huiles de première pression pressées à froid.

Les **maladies cardiaques** sont le résultat d'une perte de souplesse de l'aorte et d'une obstruction progressive de nos artères. Graisses animales, viandes et desserts, de façon régulière et monotone, conduisent toujours à ces résultats. Il est bon alors de faire un retour à plus de végétarisme, à des huiles saines, à de la lécithine, de la vitamine E, de la bêta-carotène, du calcium et du magnésium associés à de la vitamine D. Un retour également à plus de fibres alimentaires qui vont ralentir l'assimilation des graisses et du sucre raffiné. Je vous conseille également de mieux administrer votre temps afin d'y inclure un nombre suffisant d'heures de plein air, de repas, de repos, d'exercice et de vérifier votre alignement physique et la santé équilibrante de vos pieds et de vos jambes.

Les **maladies respiratoires** nous mettent toujours sur la piste de l'environnement que vous avez eu à subir à votre résidence, à votre lieu de travail et dans vos loisirs. Les coureurs des grandes villes sont mal en point; il en est de même des travailleurs des industries en contact avec des solvants chimiques, des travailleurs des mines, de ceux qui dirigent la circulation, des travailleurs du grain, etc. Tous se doivent d'avoir de bonnes défenses immunitaires.

D'autre part, ceux qui souffrent de **défauts de posture**, de pieds déséquilibrés, devraient revoir leur entraînement et consulter des spécialistes de l'équilibration et de l'alignement postural. Il faut aussi renforcer le terrain de ceux qui fument, qui boivent des alcools, qui prennent des anovulants ou qui respirent des fumées industrielles. Leur complémentation devrait comprendre de la luzerne associée aux vitamines, minéraux et protéines de la formule de base. La protection qu'offre les vitamines C et E et la bêta-carotène devrait les aider à maintenir une saine ventilation protégée des risques de la vie moderne.

Les maladies rénales se présentent chez ceux qui ont une alimentation incomplète, un menu pauvre en fibres alimentaires qui occasionne une constipation prolongée et des infections urinaires. Elles se présentent également chez ceux qui négligent de boire suffisamment d'eau à tous les jours, qui prennent des liqueurs douces et des aliments alcalins qui provoquent des pierres dans les voies urinaires.

Chez les femmes, la congestion du ventre en raison de la constipation, les grossesses, l'usage d'agents chimiques dans le bain tels qu'adoucisseurs, mousses ou chlore peuvent précipiter des infections urinaires ascendantes. Chez les travailleurs assis comme les secrétaires, les chauffeurs de camions, de taxis, les livreurs, les voyageurs et ainsi de suite, cette congestion peut occasionner des problèmes prostatiques, utérins, rectaux et rénaux. Pour ces individus, la luzerne, complément légèrement diurétique, est à conseiller. De plus, la vitamine C protège la vessie des effets nocifs des anti-inflammatoires et des bactéries. La bêta-carotène, quant à elle, protège les muqueuses des voies urinaires en favorisant une muqueuse saine. La vitamine E protège des irritations causées par les agents chimiques des aliments contenant des additifs et des préservatifs éliminés par le rein. Il faut prendre soin du rein, car son malfonctionnement peut aussi occasionner de l'hypertension. Si vos reins sont attaqués sérieusement, votre médecin vous conseillera de réduire le calcium parce que vous l'éliminez plus lentement.

L'hypertension artérielle résulte de plusieurs facteurs et se retrouve généralement chez ceux qui ne se délient jamais les muscles par du réchauffement musculaire, chez ceux qui sont crispés, psychologiquement et mentalement tendus parce qu'ils ne se sentent pas capables de s'adapter au stress, parce qu'ils gèrent mal leur temps de calme, de relaxation et de repos, ou parce qu'ils consomment des stimulants comme le thé, le café, le chocolat, la réglisse, etc. Les constipés peuvent aussi avoir intoxiqué leur mécanisme d'adaptation vasculaire; les obèses, qui ont peu de musculature, peuvent offrir une trop grande résistance aux contractions du cœur; les avides de sucres et de viandes rouges peuvent se décalcifier. Ces individus sont également sujets à l'hypertension. Les infections urinaires répétées peuvent conduire à des insuffisances rénales et faire apparaître de l'hypertension.

Pour régulariser la situation et améliorer le traitement d'urgence établi par le médecin, il faudra donc corriger ces habitudes et accroître son apport en calcium, en magnésium, en vitamines B et C en plus de la formule de base. Il serait bon de ne pas prendre tout de suite de la vitamine E lorsque vous faites de la haute pression. Attendez que la pression soit redevenue normale.

Les maladies des **vaisseaux sanguins** sont aussi très fréquentes chez ceux qui abusent de graisses animales frites, chez les mangeurs de sel et de sucre. Mais le sédentaire n'est pas à l'abri, pas plus que l'ambitieux qui néglige ses heures de repas et de repos. On observe alors de l'**artériosclérose**, des **spasmes vasculaires** comme dans la **maladie de Raynaud**, des **crampes musculaires**, de l'**atrophie des tissus**. Tout cela peut conduire quelqu'un à l'**infarctus**, à l'**angine**, à la **gangrène**, aux **accidents cérébrovasculaires** et à la **paralysie**.

La complémentation la plus utile, en plus de la correction alimentaire et de l'exercice modéré, semble être la prise de plus de protéines végétales, de fruits frais, de lécithine active, d'huile linoléique (vitamine F) ou oméga, d'huile pressée à froid, de calcium, de magnésium, des vitamines du complexe B et du zinc.

Les individus atteints de **maladies de la peau**, comme le **psoriasis et l'eczéma** entre autres, profitent du même régime.

Les maladies sanguines les plus graves sont celles qui touchent les cellules rouges, comme l'anémie, ou les cellules blanches, comme la leucémie, les lymphomes. C'est un jeu complexe aux participants multiples, qui conduit à l'éclosion des maladies sanguines. Dans l'**anémie**, il est possible que vous perdiez presqu'imperceptiblement du sang par le tube digestif, d'où la nécessité d'investiguer de ce côté. Les carences en fer, en zinc, en cuivre, en cobalt, ou encore en vitamines du complexe B, particulièrement la vitamine B_{12}, peuvent être en cause. Une carence en macro-nutriments (protéines, huiles essentielles, sucres complexes) peut aussi y être associée. Des pertes génitales de sang, par les **fibromes** ou encore par les **menstruations prolongées**, l'**endométriose**, peuvent indiquer l'éloignement prolongé d'une saine alimentation. L'éloignement des fruits et des légumes frais et le manque de fibres alimentaires peuvent, sur une longue période, influencer la coagulation du sang à cause de l'intoxication progressive du foie par les toxines venant des bactéries des selles. Il y a alors une mauvaise cicatrisation intra-utérine après les menstruations.

Par contre, dans les **leucémies** et les **lymphomes** (maladie de Hodgkin), le **myélome multiple**, la **sarcoïdose** et l'**amyloïdose**, l'association d'un facteur infectieux, d'une immunité lentement déficiente et de longues périodes d'alimentation incomplète provoquent une fragilité du système de défense et conduisent l'organisme à perdre sa résistance pour devenir la proie d'une réponse inadéquate de tout le système immunitaire. En plus de corriger ces vices alimentaires et de les remplacer par une alimentation saine et fraîche, il devient important d'armer le système de défense en introduisant des protéines végétales en complémentation, ainsi que de hautes doses de vitamines C et E. Les huiles essentielles comme l'acide gamma-linoléique composant les parois cellulaires, la lécithine aidant aux mécanismes de désintoxication du foie, et l'association de multiples vitamines et minéraux pris en plusieurs moments de la journée, aideront l'organisme à résister à la perte des protéines tissulaires, et donneront de la vigueur au malade durant ses traitements médicaux. Les **malades du sang sont toujours des «petits-becs» à table**. Questionnez-les bien sur leurs habitudes alimentaires depuis quelques années, ou celles de leurs parents, et vous le constaterez. Encore là, ce sont de mauvaises habitudes familiales au repas qui conduisent cette famille à se détériorer.

L'**obésité** est une maladie et l'obèse est un individu bien spécial. C'est un mangeur rapide de ce qui se mange rapidement: les pâtes, les amidons, les farines, les desserts, les purées, etc. C'est aussi un grignotteur qui ment sur ses habitudes devant les autres. La musculature de ses épaules et de sa poitrine est généralement faible et il possède un système tactile endormi et une musculature mal tonifiée. Intérieurement, il vit avec la peur d'en manquer, comme l'alcoolique. Les dommages métaboliques ne se comptent plus chez lui et tous ses systèmes sont tôt ou tard touchés. Il a de la difficulté à régulariser sa température corporelle. Il sue de la tête, des mains et des pieds et très peu du corps.

Pour contrer l'obésité, il faut se réhabituer à mastiquer lentement les aliments fibreux, augmenter les protéines d'origine végétale et la consommation d'eau, réduire le volume des repas, prendre le temps de s'asseoir à table pour manger et ne jamais entreprendre un repas pressé. L'obèse pense vite et mange vite, et sa gentillesse ne cherche souvent qu'à posséder l'abondance de l'autre. Il parle souvent au conditionnel parce qu'il met des conditions partout. Ses muscles ne savent pas obéir au cerveau. Il est bon qu'il se brosse la peau durant ses bains. Les enfants obèses ont surtout des amis dans les foyers qui donnent des pâtisseries et qui distribuent des collations.

Une complémentation alimentaire prise avant les repas et composée de protéines, de vitamines et de minéraux diminuera sa **boulimie** et sa gloutonnerie; une grande quantité de fibres diminuera l'assimilation des sucres et des graisses et permettra un meilleur vidangeage. L'obèse qui a suivi de multiples régimes sans corriger toutes ses mauvaises habitudes alimentaires est souvent complètement débalancé en vitamines et en minéraux; il a fait fondre malgré lui sa masse musculaire et une grande fatigue l'attend. Les mauvaises habitudes alimentaires de la famille ne sont pas étrangères à son obésité; d'ailleurs, on retrouve souvent plusieurs obèses dans une même famille.

Plusieurs facteurs influencent la **formation des os**. À cet égard, les écarts nutritifs, les périodes de relaxation alternées, le manque d'activité physique avec un effort et la gravité, ainsi que la tension et le stress peuvent occasionner certains problèmes au niveau des articulations. Il peut alors en résulter un certain nombre de pathologies comme l'**ostéoporose** ou la **polyarthrite rhumatoïde** ou l'**arthrose** qui est sans aucun doute la principale maladie articulaire.

Les os sont formés d'une matrice fibreuse composée à son tour d'une protéine nommée osséine. Les protéines nutritives, la vitamine A, les vitamines du complexe B et la vitamine C participent à cette structuration. Ensuite, le calcium en équilibre avec le phosphore, le fluor, le magnésium et la vitamine D provoquent le dépôt du calcium sur cette matrice. L'alternance des contractions et des relâchements et les efforts musculaires aident à l'ossification.

Dans la nutrition, tout ce qui peut solubiliser cette calcification entrave la formation osseuse. C'est le cas du sucre consommé en excès, de l'alimentation comprenant trop de viandes rouges, du manque de bile comme chez les constipés et chez les individus qui n'ont plus de vésicule biliaire. Il est alors important de maintenir une complémentation continuelle afin d'éviter de parvenir à des états irréductibles d'arthrose de toutes sortes.

Les maladies du système digestif sont aussi très nombreuses. Considérons le tube digestif comme une longue racine qui puise les nutriments à partir des aliments que nous apportons à notre régime. Un manque d'apport pourra léser cette racine qui doit renouveler ses cellules de surface tous les 3 à 7 jours, tout en assurant les nutriments au reste de l'organisme. Une fois la racine digestive lésée, tous les autres tissus sont privés de l'assimilation dont elle est responsable. Il s'ensuit un amaigrissement par fonte des tissus comme dans la **maladie de Crohn**, l'**entérite aigüe** et les **entérites toxiques**. Le lactose, ce sucre du lait, ne peut plus être digéré ni assimilé et provoque la fermentation qui nuit encore plus aux fonctions du tube digestif.

Aucun lait de vache ne doit être consommé dans les pathologies du tube digestif. Afin de faciliter l'assimilation, il faut alors des aliments prédigérés par les cuissons et une complémentation complète comprenant des protéines, des lipides et des hydrates de carbone sous leur forme la plus simple. Prenez alors de la bêta-carotène pour protéger la muqueuse d'absorption, de la vitamine C pour réduire l'inflammation, des vitamines du complexe B pour calmer le mouvement des coliques, et des minéraux pour assurer une bonne catalyse de l'assimilation des nutriments. Souvent même, les médecins devront recourir à l'administration de solutés contenant des acides aminés, des acides gras, des sucres, des vitamines et des minéraux, directement par voie intraveineuse, afin de nourrir suffisamment l'individu. Un intestin qui ne fait pas passer les nutriments au foie est un intestin fini. Le manque d'apport dans l'alimentation et dans la complémentation équilibrée rend toute vie impossible. Vous comprenez mieux maintenant l'importance de bien s'alimenter et de se complémenter en équilibre avec l'équipe nutritionnelle que forment le tube digestif et les nutriments.

Le **diabète** est une maladie dans laquelle un manque relatif ou absolu en insuline provoque un dérèglement complet du métabolisme des sucres, des lipides et des protéines. Si une maladie du tube digestif rend impossible l'assimilation des aliments par votre racine intestinale, le diabète quant à lui rend «folle» l'industrialisation par le foie de ces aliments devenus nutriments. Comme c'est le pancréas qui est affecté et que c'est une glande, il est important de savoir que le zinc et le chrome sont des catalyseurs importants de tout travail glandulaire. Comme il est bon de comprendre que l'acide gamma-linoléique régularise les sécrétions en devenant des prostaglandines. Les écarts en fruits, légumes et protéines végétales et l'abus de sucre pendant plusieurs générations vont affaiblir le pancréas pour des générations futures. Les **avorte-**

ments se répètent, les **naissances prématurés** se succèdent et la **stérilité** s'installe rapidement.

Les **allergies** aussi semblent être l'apanage d'une mauvaise nutrition de génération en génération, ainsi que d'un manque en minéraux de toutes sortes et en acides gras essentiels comme l'acide gamma-linoléique et la vitamine E. Sans complémentation, il semble impossible d'en venir à bout. Un plus grand contrôle des catégories alimentaires et de l'environnement devient nécessaire. La luzerne en grande quantité a un effet bénéfique.

TROISIÈME CONSIDÉRATION: VOTRE RÉGIME ET VOS HABITUDES ALIMENTAIRES (Question 4)

Nous verrons maintenant l'influence de votre alimentation en rapport avec vos habitudes alimentaires. Selon les habitudes qui ont pu causer vos déséquilibres, j'essaierai de vous proposer une complémentation sur mesure qui viendra compenser vos écarts nutritifs. En donnant à votre tube digestif un plus grand choix de nutriments, le foie pourra demander et recevoir les nutriments dont il a besoin. N'oubliez pas que, lorsque votre foie a besoin d'un nutriment quelconque que le tube digestif ne peut lui fournir, il s'installe alors une recherche d'équilibre que nous identifions comme une maladie. **C'est cela la maladie: un état particulier du corps qui cherche l'équilibre de sa vitalité.** Quand nous essayons de nous soigner sans défaire les déséquilibres de notre nutrition, nous ne faisons que nous empoisonner et provoquer une nouvelle maladie. Vous comprenez que les remèdes ne soignent rien sans les nutriments requis. Pour survivre, nos cellules vont chercher dans nos tissus de moindre importance ce qui manque au régime alimentaire. Ces tissus deviennent alors malades.

Tout le monde pense bien manger. Je dis bien, **pense**. Mais est-ce la réalité ? Est-il facile de manger d'une façon bonne et équilibrée ? Comment pouvons-nous le savoir ? C'est quasi impossible à savoir, mais nous pouvons le sentir cependant. Le sentir par la satisfaction de la faim, par l'absence de fatigue après un travail moyen de 4 heures, par la capacité de croître et de faire des efforts, par l'absence de malaises, par une capacité d'adaptation plus grande. **Ce sont vos sens qui vous le démontrent mieux. Et ce sont vos cellules, pas votre cerveau, qui le savent le mieux.**

Bien manger devrait comprendre les éléments suivants: un rythme de trois à quatre repas par jour, une grande variété d'aliments, des aliments crus à chacun des repas, une bonne mastication, l'absence de chirurgie des glandes annexes du système digestif comme le foie, le pancréas, l'intestin, l'absence d'irritation de l'estomac et de l'intestin, une bonne évacuation du côlon, une bonne capacité d'être actif afin de faire circuler le sang et une bonne hydratation afin de faire circuler les aliments. Comme vous le voyez, il y a plusieurs conditions.

Quand nous sommes jeunes, nous présumons que notre vigueur sera éternelle. Les poussées de croissance peuvent nous rappeler à l'ordre en nous avertissant par des maladies comme l'**appendicite aiguë**, la **mononucléose**, l'**acné**, l'**hépatite**, l'**anorexie**, la **fièvre**, la **diarrhée**, etc. Mais en prenant de la maturité, nous nous devons d'être plus prudents, car les ressources de la jeunesse s'épuisent et le moindre écart nous entraîne dans la pente abrupte des maladies.

Quelques mauvaises habitudes, insignifiantes à première vue, peuvent nous faire glisser à plus ou moins long terme vers le précipice des malaises. Nous devrions profiter de ces signaux avertisseurs pour nous éveiller à notre ignorance et rectifier notre tir. Je vous en énumère ici quelques-unes et vous indique les influences qu'elles ont sur l'équilibre de vos nutriments, en rapport avec l'eau, si importante pour la bonne diffusion de vos matériaux alimentaires, de vos nutriments et pour le métabolisme tissulaire.

Je bois du café à tous les jours

Un vrai café par jour, avec une eau saine, peut être tolérable. Mais dès que vous dépassez trois tasses, vous vous faites sournoisement du mal. Le café est un stimulant du système nerveux dont les effets sont nombreux. Il fait éliminer beaucoup d'eau par l'urine, il diminue les réserves de sucres, accélère le rythme cardiaque, hausse la pression artérielle, fait transpirer, énerve et donne l'illusion de dynamisme. Il fait perdre des nutriments comme les hydrates de carbone, les vitamines B et C et des minéraux comme le calcium, le magnésium, le manganèse. Si cette habitude de boire du café est irrésistible chez vous, pensez complémenter en ajoutant ces minéraux et en changeant pour du café de céréales.

Je prends de l'alcool à tous les jours

Bien qu'une ou deux onces d'alcool semblent procurer un effet de dilatation des vaisseaux sanguins, en consommer en plus grande quantité quotidiennement est une habitude destructrice. L'alcool déshydrate, fait perdre du complexe vitaminique B et de la vitamine C, augmente le taux de graisses, provoque des malformations chez le fœtus, «formaldhéise» le foie, durcit les vaisseaux sanguins, inhibe les sens et le cerveau, fait perdre du potassium et du magnésium aux cellules, stimule l'acidité gastrique et augmente le flot urinaire. L'alcool fait perdre le sens de la soif et de la faim très rapidement et a des conséquences irréversibles sur votre bon sens (jugement). L'alcool rend l'être humain semblable à la bête.

Je sucre beaucoup

Ce goût démesuré pour le sucre signifie que vous manquez d'énergie, donc que vos repas ne sont pas suffisants en hydrates de carbone, protéines et huiles essentielles. Voyez-y. Bien qu'une certaine quantité de sucre semble temporairement vous stimuler dans l'heure qui suit sa consommation, vous êtes en baisse de sucre parce que le taux d'insuline est monté; ainsi, les glandes surrénales sont stimulées et provoquent un état de stress métabolique qui peut être ressenti par de la sudation, des céphalées, des étourdissements (**hypoglycémie-agressivité**). Certains vont jusqu'à la perte de conscience. Les grands sucreurs deviennent vite déficients en protéines et en vitamines du complexe B. Leur résistance aux infections s'affaiblit, le fer baisse, le métabolisme des graisses et des protéines s'altère. Mangez plus de blé entier, de pommes de terre et complémentez en protéines végétales. Prenez vos collations avec un petit substitut de repas et ajoutez du calcium et du magnésium.

Je sale beaucoup

Le goût pour le salé est une sensation justifiable qu'il ne faut cependant pas satisfaire uniquement avec du sel de table (chlorure de sodium). Un excès de sel accroît la tension artérielle et le volume circulant, blesse les vaisseaux sanguins, surcharge les reins, dilate les vaisseaux, rend rougeaud et provoque des chaleurs. Surveillez particulièrement le sel caché dans les fromages et le chocolat. Quand vous sentez le besoin de sel, interprétez-le comme un besoin en **sels minéraux** multiples comme le calcium, le potassium des fruits et légumes, le magnésium, le zinc, le manganèse, le cuivre, le fer, etc. Ce sont tous des minéraux sous forme de sels dans notre alimentation.

Je mange de la viande rouge à tous les jours

Je ne suis pas pour un régime sans viande pour l'individu normal et en santé qui fait des efforts physiques quotidiens. Encore faut-il cependant qu'il choisisse sa viande. Les charcuteries remplies de sels, de nitrites ou de colorants ne sont pas des aliments à consommer régulièrement. On peut consommer des viandes rouges de façon modérée, soit deux à trois repas de 3 à 4 onces par semaine. Mais n'oubliez pas la variété. Les abats, les volailles sans la peau, le poisson et les légumineuses sont aussi d'excellentes sources de protéines complètes. Les mangeurs excessifs de viandes ont un teint rougeaud, le foie ralenti, l'agressivité facile, le taux de graisse dans les vaisseaux facilement élevé, le taux de fer quelquefois trop élevé et ils dorment facilement après les repas parce qu'ils sont intellectuellement ralentis. Il n'est pas rare de trouver des **ulcéreux** dans ce groupe. Ils ont besoin de vitamines C et E ainsi que de plus de fibres dans leur alimentation. Ils devraient boire plus d'eau aussi. La viande apporte des protéines animales et de la vitamine B_{12} surtout, vitamine dont peuvent manquer les végétariens. Un régime équilibré comporte plus de céréales complètes, de légumes et de fruits.

Je suis végétarien

Vous avez peut-être choisi, comme plusieurs autres, de vous limiter à un régime ne comprenant que des végétaux. Votre régime alimentaire contient alors beaucoup de fibres, ce qui provoque au début un ralentissement de l'assimilation de certains minéraux, après quoi l'organisme semble se réajuster. On observe souvent, chez ceux qui suivent une alimentation strictement végétarienne, une carence en vitamine B_{12} qui peut entraîner une anémie sévère. Il vous faut 100 microgrammes de vitamine B_{12} par mois. Le végétarisme désintoxique et décancérise temporairement, mais, à long terme, ce régime manque de variété. L'œuf, le poisson, le tofu sont importants dans tout régime alimentaire.

Je suis souvent des régimes amaigrissants

Cette pratique est très populaire, et fortement encouragée et stimulée par la publicité commerciale. Vous devez savoir qu'un régime alimentaire, fait selon les principes du Guide alimentaire canadien, permet de reprendre un poids normal à ceux qui font des excès en plus comme en moins. Les régimes amaigrissants, comportant une réduction de l'apport calorique quotidien à moins de 1 600 calories, rendent nécessaire la complémentation en protéines, vitamines et minéraux multiples. Sinon, il y aura des complications. Les artériosclérotiques et les diabétiques ne devraient pas penser que nous les plaçons sur une diète spéciale. Au contraire, nous tentons de les ramener à un régime équilibré qu'ils ont depuis longtemps abandonné. Il leur faut des fibres, des protéines végétales, des vitamines et des minéraux multiples.

Je mange peu de fruits et légumes frais

Si vous êtes de ceux-là, vous faites partie de ces gens qui deviennent le plus mal en point avec le temps. Pourquoi ? Parce qu'il vous manque des vitamines A, B, C, E, F et K. En plus, vous manquez de minéraux intra-cellulaires comme le potassium, le manganèse, le magnésium, le zinc, le calcium et bien d'autres encore. Mais le plus grand manque vient d'abord de la pauvreté du régime en fibres alimentaires, et la constipation ou le **côlon irritable** vont se manifester à plus ou moins long terme. Dans ce groupe d'individus qui consomment peu ou pas de légumes et de fruits frais, nous retrouvons régulièrement les troubles suivants: ulcères, artériosclérose, polycythémie, hypertension, sclérose en plaques, troubles hépatiques, etc. Les meilleurs guérisseurs en nous, ce sont les légumes et les fruits frais, variés et si possible crus.

Pour refaire ses forces au début, il est bon de les cuire un peu pour attendrir les fibres; mais nous devrions toujours avoir des crudités à chacun de nos repas. Une bonne soupe aux légumes variés, avec un peu d'orge et de lentilles, voilà le cure-tout que nos grands-mères connaissaient déjà et dont elles se servaient particulièrement dans les situations où la fièvre et les malaises abdominaux étaient présents.

Je mange souvent du «fast-food»

Le «fast-food» devrait plutôt être nommé «néfaste-food». Il contient énormément de graisses frites, très peu de fibres, beaucoup de sucre et de sel, ainsi que des additifs alimentaires, autant d'éléments qui peuvent favoriser le cancer du tube digestif et des problèmes hépatiques en plus des colites et des entérites. Il vous manque alors de fibres, de protéines végétales, de vitamines et de minéraux multiples. Ne soyez pas sourd aux douleurs abdominales qui vous avertissent.

Je mange souvent de la charcuterie

La plupart, sinon toutes les charcuteries, contiennent des agents de conservation et sont préparées avec des colorants, des nitrites, des sulfites, du sel et du sucre en excès. Ce sont des viandes embaumées avec lesquelles il faut être prudent et modéré. Beaucoup d'entre elles sont gonflées avec des farines de deuxième qualité. Si vous en êtes friand, voyez à vous protéger avec des vitamines C, E et de la bêta-carotène (vitamine A). Accompagnez-les de beaucoup de crudités afin d'en compenser les travers.

Je saute souvent le déjeûner ou un autre repas

De nos jours, la pire habitude semble être celle de se priver de déjeûner. Les adeptes d'une telle habitude sont vite fatigués en après-midi et sont très peu productifs. Les femmes présentent alors de l'hypoglycémie et les hommes ont des crises d'agressivité importantes, presque psychotiques. Je dis souvent qu'il vous faut un déjeûner de roi, un dîner de prince et un souper de reine. Le saut du repas du matin veut dire une importante privation en valeurs nutritives; il est urgent alors de complémenter par des substituts complets de repas, des protéines, des vitamines et minéraux multiples. L'énergie d'un déjeûner vous appartient; celle du dîner et du souper est une énergie de service. Pensez à la crème Budwig (voir annexe 3).

Je bois très peu d'eau

L'eau sert au transport de tous les nutriments dans le tube digestif et le sang. Elle aide à l'action purificatrice du côlon, des reins et de la sueur, elle dilue les poisons, garde le teint clair et empêche le vieillissement prématuré. Il nous faut au moins 30 onces ou 1 litre d'eau par jour. Les aliments bien crus répondront à nos autres besoins.

Je bois des jus de fruits préparés d'avance

N'oubliez jamais que lorsque vous sortez le jus de l'enveloppe protectrice d'un fruit, vous appauvrissez ce jus de ses vitamines par la chaleur et la lumière. Un jus de fruit frais est beaucoup plus complet. D'autre part, comme la mastication des fibres permet d'en tirer ses propriétés importantes, il est préférable de manger le fruit avec sa chair. Une saine limonade en est une qui est préparée avec le jus et la chair d'une orange, d'une lime et d'un citron dans deux pintes d'eau de source ou d'eau distillée.

Je ne mange que des aliments cuits ou en conserve

Vous perdez dans l'eau de cuisson tous les minéraux des légumes et des fruits, comme c'est le cas avec les aliments en conserve. Mieux vaut alors faire une soupe. Les fruits préparés en confitures doivent être considérés comme du sucre et n'ont pas d'autre valeur. Il serait important que vous changiez ces habitudes et que vous compensiez ce manque en complémentant avec des vitamines et des minéraux multiples. Il y a un manque en zinc dans ces aliments.

Je bois ou je mange au-delà de 20 onces de lait ou de produits laitiers par jour

Une portion de lait équivaut à 6 onces; une tranche de fromage équivaut à 6 onces de lait et un yogourt de 4 onces équivaut à 6 onces de lait. Une once de lait équivaut à 20 calories. Donc, 20 onces de lait donnent 400 calories, ce qui représente une quantité quotidienne raisonnable. Les excès peuvent occasionner une perte de la faim pour une plus grande variété d'aliments et entraîner des carences en d'autres nutriments. Souvent, il y a trop de gras et un excès de calcium en relation avec le potassium et le phosphore. Les fruits frais viennent alors équilibrer le tout. La lécithine peut apporter du phosphore et des huiles polyinsaturées. D'autre part, le lait est maintenant équilibré avec 400 unités de vitamine D par 30 onces.

Il est faux de prétendre que le lait soulage les brûlures causées par un ulcère. Sur le coup, c'est vrai, mais il active la production d'acidité. Vous devriez plutôt prendre plus de luzerne, de potassium, de calcium et de magnésium, de fibres ainsi que des vitamines A et E. Retenez qu'un régime équilibré ne comporte pas d'excès, mais de la variété et des aliments vivants non embaumés, non chimifiés.

Je mange des fritures à tous les jours

Cette pratique est très risquée et dangereuse. Elle conduit à l'artériosclérose, à la constipation ou au côlon irritable et, à partir de là, au cancer et à l'hypertension. Complémentez avec des fibres, des protéines végétales, des vitamines et des minéraux. Ajoutez de la vitamine F (acide gamma-linoléique) et de la lécithine afin de corriger les torts que vous avez pu vous infliger.

Je mange dans une boîte à lunch

Assurez-vous d'y mettre de la fraîcheur et de la variété en légumineuses, légumes et fruits, et pas seulement du pain blanc et des charcuteries. Prenez un substitut de repas comme ces liquides hautement nutritifs que l'on retrouve en pharmacie (Enrich, Sustain, Slim Plan, bouchées Prolicine) ou encore une barre nutritive comme la Vitabar (de Shaklee). Vous y retrouverez tous les nutriments d'un repas complet en plus faible valeur calorique.

Je mange en moins de 20 minutes

Il faut mastiquer ce qui s'avale facilement comme les pâtes, les céréales et le pain, puisque leur digestion commence dans la bouche par les enzymes de la salive. Les fibres des aliments frais (légumes et fruits) doivent être coupées et mastiquées dans la bouche afin que l'assimilation de leur jus soit facilitée le long du petit intestin. Il faut au moins 20 minutes pour manger un bon repas.

Je mastique peu mes aliments

Vous vous privez des nutriments contenus dans les céréales (protéines, vitamines B et E) et de ceux des légumes et des fruits (vitamines A, E et C).

Je bois en mangeant

Boire en mangeant pour ramollir les aliments inhibe la sécrétion de la salive et prive la bouche de son action enzymatique. On peut boire un peu d'eau avant de manger et à la fin du repas.

Je mange tous les jours au restaurant

Vous êtes alors régulièrement en contact avec des aliments frits et des additifs. Protégez-vous avec des vitamines A, C et E. Essayez de prendre des crudités lavées ou de la soupe aux légumes.

Ces courtes remarques qui précèdent ne disent pas tout. J'ai cependant voulu attirer votre attention sur certains points que j'observe dans ma pratique quotidienne chez ceux qui sont devenus malades. Tant que votre organisme résiste à vos mauvaises pratiques, il est bien difficile de vous les faire changer. **Mais pourquoi attendre que votre corps réagisse par des malaises et des maladies avant de modifier vos habitudes de vie ?** Mieux vaut tard que jamais, bien sûr, mais attention qu'il ne soit vraiment trop tard, et commencez à prévenir par la complémentation.

Nous allons maintenant voir en résumé certaines de vos habitudes de vie moderne. Ne changez pas drastique-

Je fais peu ou pas d'exercice à chaque semaine

Vous avez votre travail qui vous fait peut-être faire de l'exercice dans un sens; alors pratiquez une activité qui comporte des mouvements complémentaires ou plus complets. Il est recommandé de faire une activité physique de 20 minutes, trois fois par semaine, en prenant soin d'accélérer le rythme cardiaque jusqu'à 140-150 battements par minute. Il faut cependant précéder l'activité d'une période de réchauffement et la faire suivre d'une période de récupération.

Je suis fatigué tout le temps et je suis déprimé

Ou bien vous manquez de nutriments en général ou bien vous avez un manque de circulation sanguine et l'énergie de votre alimentation n'atteint pas vos tissus. Peut-être manquez-vous de motivation et d'amour dans votre quotidien ? Seriez-vous de ceux et celles qui pensent que de se plaindre, ou d'avoir un père ou une mère qui font tout pour vous, va changer les choses ? Un peu plus de vigueur grâce à une alimentation complète et à une complémentation équilibrée et vous retrouverez votre courage pour vous mettre au service des autres. La déprime, c'est un vide d'amour et de vigueur alimentaire. C'est une régression vers l'enfance. Voilà pourquoi vous pensez autant à vos parents à ce moment-là.

Je suis stressé au travail

Voilà un autre indice d'un manque d'énergie qui vous fait paniquer devant les changements qui sortent de la routine habituelle. Avec plus de vigueur tirée de vos repas et de votre complémentation de base, vous aimerez les défis. Voyez à prendre un bon déjeuner à tous les jours (voir crème Budwig en annexe 3).

Je manque d'appétit

L'appétit a rapport au plaisir de manger. Le parfum d'une nourriture préparée avec amour et partagée dans l'amitié stimule l'appétit; mais un simple nez bouché peut vous le faire perdre. Une saine alimentation n'enlève jamais le plaisir de manger et manger ne veut pas dire abondance de nourriture; les miettes suffisent. La complémentation va vous redonner la vigueur et le goût de manger en compagnie des autres.

Je prends moins d'une heure de soleil par jour

Quelle tristesse que ce mode de vie qui nous fait passer notre temps dans des édifices sur-isolés, mal aérés, pollués et sans fenêtre. Exigez au moins une demi-heure dans vos conventions collectives afin de faire de la marche en plein air. Le soleil vous apportera de la vitamine D pour vos os, et le plein air des idées neuves et rafraîchies pour le bureau. En plus, vous n'aurez plus à faire la grève pour prendre l'air à vos frais. Il faudrait un arrêt systématique dans toutes les industries, le matin et l'après-midi. Ces arrêts pourraient être privilégiés pour pratiquer quelques mouvements de Technique Nadeau par exemple, pendant 15 minutes, avec toutes les fenêtres ouvertes.

Je dors mal

Êtes-vous content de vous et des services rendus dans la journée ? Avez-vous pardonné à votre frère ? Ressentez une bonne relaxation par un bain chaud. Prenez du calcium-magnésium et de la vitamine B au souper.

Je bois de l'alcool

J'ai déjà parlé de cette mauvaise habitude dans la troisième considération qui traite du régime e habitudes alimentaires.

Je fume

Prenez 25 mg de vitamine C et 25 unités de vitamine E par cigarette que vous consommez par jour.

Je travaille dans le chimique et la fumée

Les mêmes remarques que dans le paragraphe sur le plein air s'appliquent à vous. Cependant, ajoutez en plus des vitamines A, C et E afin de protéger vos bronches et votre peau.

Je travaille assis

Faites des exercices du cou en bougeant la tête comme si vous disiez «oui», «non» et «peut-être». Faites des mouvements de rotation des épaules et des étirements debout durant 30 secondes à toutes les demi-heures. Ne portez pas de ceinture trop serrée à la taille.

Ces quelques conseils devraient vous aider à maintenir un système musculo-squelettique et osseux en bonne forme afin de bien digérer, de vous ventiler et de faire circuler votre sang. Tous les sens se maintiendront en pleine capacité de réceptivité.

Vous avez été touché par la maladie avant de lire ce livre ? Il y a donc des problèmes, et je dirais que tous ces problèmes viennent de la pauvreté alimentaire ou d'un régime mal équilibré ainsi que du manque d'activité physique qui dégourdit. Mais lorsque vous êtes malade, les tentatives thérapeutiques médicales et chirurgicales peuvent, elles aussi, déranger vos capacités de vous alimenter et de vous exercer; ce qui vous conduit vers une carence encore plus grande de nutriments. C'est alors un cercle vicieux qui vous mène à la perte d'une importante vigueur, à la perte du jugement et de la motivation à vivre. Il faut quelque chose en plus et nous reverrons brièvement ces points importants.

CINQUIÈME CONSIDÉRATION: VOTRE DOSSIER MÉDICAL (Question 6)

Arthrite ou arthrose

L'arthrite et l'arthrose viennent d'une mauvaise habitude alimentaire et d'un déséquilibre dans les composantes de l'alimentation. Une fois ces problèmes arrivés, l'ankylose et le manque de souplesse dans le mouvement peuvent tellement restreindre votre mobilité que vos muscles rapetissent, votre faim diminue et vous vous retrouvez encore plus moribond. Il faut une gamme complète de nutriments équilibrés qui vont vous redonner de la vigueur pour faire face au stress de ces maladies. Il vous faut aussi une pleine complémentation en calcium et magnésium associés avec la vitamine D. Ajoutez aussi de la luzerne.

Constipation

Encore ici, la constipation, qui est due à un manque de fibres fraîches, d'eau et d'activité physique, provoque des sensations de lourdeur et de plénitude abdominale qui inhibent ou diminuent la faim. Vous êtes alors porté à restreindre vos repas, accélérant ainsi la dénutrition. Il faut environ six mois de régularité intestinale pour reprendre l'évacuation bi-quotidienne des selles. Il faut des fibres, de l'eau et des herbes laxatives durant dix jours pour faire un grand ménage de votre côlon; il faut aussi des jus de légumes crus avec leurs fibres. Ensuite, vous reprenez une complémentation alimentaire avec des nutriments équilibrés et des minéraux. Enfin, reprenez un régime alimentaire corrigé afin de ne pas retomber dans l'intoxication progressive de votre appendice et de votre foie par les excréments. La constipation est la mère de toutes les maladies comme la paresse est la mère de tous les vices.

Hypertension

L'hypertendu en général est un mangeur de viandes rouges, de sucreries, de sel et il abuse parfois de l'alcool et du gras. Une fois l'hypertension mise à jour, la thérapie comportera des pertes importantes en sels et en potassium, occasionnant une grande fatigue. L'appétit et la faim vont baisser et, à leur tour, vont créer les conditions pour une dénutrition.

Il faut à la fois corriger le régime antérieur et combler les manques. En plus, il faut ajouter du calcium et du magnésium, des fruits riches en potassium à cause des médicaments diurétiques, un conditionnement pour l'assouplissement physique musculo-squelettique et des techniques de relaxation pour diminuer la résistance de la circulation dans les membres. Évitez de prendre de la vitamine E avant que votre tension soit revenue à un niveau normal.

Problèmes cardiaques

Les problèmes d'angine et d'infarctus sont dus à une perte de la souplesse de l'aorte (le cœur du cœur). Le sang nutritif et oxygéné n'atteint plus le muscle cardiaque et le cœur crampe dans la charge de son travail. Il est évident que le cardiaque ne s'alimentait pas bien auparavant, mais comme il réduit encore plus son activité et qu'il a peur d'une rechute subite, son appétit baisse encore plus et il est porté alors à réduire encore davantage cette activité physique qui aiderait pourtant à la circulation du sang. C'est en quelque sorte un cercle vicieux dont il doit absolument se sortir. En plus de corriger le régime an térieur, il est nécessaire de complémenter avec des huiles essentielles pressées à froid (de première pression), de la vitamine F (acide gamma-linoléique), de la bêta-carotène (vitamine A), de la lécithine et les autres nutriments de la formule de base. Il est bon de s'assurer de ne pas avoir de problème de la colonne vertébrale entre la quatrième et la septième vertèbre dorsale.

Cholestérol et triglycérides

La même approche que pour les hypertendus et les cardiaques s'impose ici. Je suggère même de se tourner vers un régime végétarien fait de fruits et de légumes frais. Les huiles de première pression pressées à froid devraient remplacer les fritures et les graisses animales, même le lait.

Allergies (eczéma, urticaire, asthme, diarrhée allergique, fièvre des foins, sinusites) [1]

Ce sont toutes des maladies à multiples facettes impliquant des carences alimentaires, des additifs chimiques, une carence en fibres et en vitamines et minéraux. Le foie est embarrassé et il y a carbonisation du sang. Une fois la maladie en place, l'allergique va chercher les causes dans son environnement, et ainsi se priver de certains aliments importants et de plein air vivifiant. Il lui faut choisir et bien laver ses légumes et ses fruits puisque leur pelure est recouverte d'agents de conservation. Il lui faut une complémentation équilibrée et complète, en n'oubliant surtout pas la luzerne qui semble donner d'excellents résultats associée avec l'acide gamma-linoléique (vitamine F) et en ajoutant des minéraux comme le calcium, le magnésium et le zinc. Dans l'asthme, vérifiez la posture et les pieds et, dans l'eczéma, cessez le lait.

Problèmes urinaires et rénaux

Ce sont les pires problèmes parce que le rein est un organe dont les maladies sont sournoises, autant pour

---

1. Voir FAELTON, Sharon, *Les allergies*, Éditions Québec Agenda, 1987 (disponible à l'ADAS).

vous que pour le médecin. Boire de la bonne eau et prendre de la vitamine C et un diurétique léger comme la luzerne permet de prévenir beaucoup de ces problèmes. Évitez les aliments alcalins ou les eaux minérales et alcalines. Cherchez la régénération de vos reins avec une complémentation complète et équilibrée. Soyez cependant prudent avec le calcium avant le retour à une diurèse ou des mictions normales.

Diabète

Le diabétique a toujours eu de mauvaises habitudes alimentaires avant même que ne soit posé le diagnostic. C'est une personne capricieuse à table comme le sont les personnes atteintes de sclérose en plaques, d'hypoglycémie et de leucémie. Il est donc en état de carence et la maladie vient encore plus dérégler son métabolisme des protéines, des hydrates de carbone et des graisses. Il lui faut prendre un complément alimentaire complet et oublier ses caprices pour une alimentation équilibrée et saine. Les huiles de première pression, la crème Budwig (comme céréales), le zinc et la soupe aux légumes sont essentiels.

Infections fréquentes

Les infections, quelles qu'elles soient, sont des signes avant-coureur d'une perte de résistance immunologique, bien plus qu'une réaction aux bactéries et virus de plus en plus malins. Pour donner prise aux agents infectieux, il faut des déchets de sécrétions en stagnation, une pauvreté de protéines végétales, de vitamines et de minéraux et l'altération de la synthèse des anticorps par «encrassement» du foie et des ganglions lymphatiques. Ces agents infectieux sont les levures, les bactéries et les virus. Questionnez un sidatique sur ses mauvaises habitudes d'hygiène physique, d'alimentation et de vie. Vous verrez que celles-ci ont précédé de plusieurs années sa perte de résistance immunitaire et, finalement, cette perte a donné prise aux agents infectieux. Il faut un terrain propice pour être infecté. La complémentation de base, associée aux vitamines A, B, C, E et aux minéraux multiples (le fer particulièrement), accroît la résistance de l'individu et permet de ne pas prendre trop longtemps des antibiotiques.

Cancer

La médecine et la chirurgie en limitent les dégâts, mais cela ne constitue qu'une partie du traitement. Il faut aussi une importante complémentation, comprenant des protéines, des minéraux et des vitamines. Les vitamines A, E et C particulièrement doivent être prises à fortes doses. En plus, il faut cesser toute consommation d'aliments d'origine animale, prendre de l'eau distillée et un régime constitué uniquement de végétaux de toutes sortes. Il faut enfin du temps, du courage et de la persévérance. Ne gardez plus vos excréments humains dans vos tissus et votre côlon; prenez de la graine de lin pour vous aider et faites de la Technique Nadeau pour drainer la lymphe.

Hypoglycémie

Pauvre vous, votre hâte et vos ambitions ont passé avant des repas équilibrés en hydrates de carbone, protéines et huiles essentielles. Les hommes hypoglycémiques font des crises d'agressivité alors que les femmes ont des étourdissements et parfois des évanouissements. Reprenez des repas complets, 3 ou 4 fois par jour et, entre les repas, prenez des substituts de repas comme la Vita-Bar (Shaklee) et/ou du liquide Enrich (Ross). Le temps et l'activité de vos cellules mieux nourries feront le reste. Pas de panique.

Ulcères

Avoir des ulcères, qu'ils soient à l'estomac, au duodénum, sous forme de fissures anales, de colite ulcéreuse ou d'entérite, signifie que le temps de renouvellement de vos cellules de surface est trop lent. Cela signifie aussi que la cicatrisation des blessures se fait mal. Normalement, les cellules de surface dans les bronches, l'intestin et la peau devraient se renouveller tous les 7 à 10 jours si votre alimentation est variée et vivante. Les ulcéreux sont des gens qui ne mangent pas suffisamment de céréales complètes, de fruits et de légumes depuis un certain temps déjà. Mais une fois l'ulcération développée, ils modifient souvent leur alimentation en faisant des excès de lait, ce qui ne fait qu'accroître certains déficits et entraîne un accroissement des graisses venant des produits laitiers. En plus de revenir à un régime alimentaire normal qui devrait inclure la soupe aux légumes et des fruits doux, ces individus profiteront d'une complémentation en fibres, en luzerne et en protéines végétales venant des céréales complètes. Les vitamines A, C, E et celles du complexe B les aideront à franchir un pas vers l'amélioration de leur condition. Évitez les produits laitiers et les farines blanches; ils stimulent l'acidité, comme les sucreries. Prenez du jus de citron dans votre eau de source.

Entérites et colites

Il est important de ménager un tube digestif blessé en corrigeant son alimentation, mais sans passer tout de suite aux aliments crus. Enlevez d'abord le lait et les produits laitiers et mangez des fruits non irritants comme la banane, le kiwi, les pommes confites. Mangez ensuite des légumes variés en soupe, des purées de carottes et prenez des céréales chaudes comme la crème de blé ou le gruau. Il faut éviter les fibres difficiles comme le chou, les pois et le maïs. Les compléments de la formule de base et ceux mentionnés plus haut vous aideront à reprendre racine. Évitez de manger dans les restaurants et surtout pas de «fast-food», ni de blé.

Sclérose en plaques

Vous aurez besoin d'une bonne dose de courage. Vous savez que vous faites partie du groupe des personnes difficiles à table et que vous vous êtes privé de bien manger. Il faut revenir aux aliments sains, frais et non transformés. Les compléments comme les huiles essentielles, la lécithine, la vitamine F (acide gamma-linoléique), les vitamines du complexe B, le calcium et le magnésium, en plus de la formule de base, vont vous renforcer. Il faut agir dès les premiers signes. N'attendez pas d'être atrophié. Brossez-vous la peau.

Sclérodermie, dermatomyosite, lupus érythémateux disséminé, myélome multiple, arthrite rhumatoïde

Autant de maladies qui indiquent une grande souffrance du système immunitaire. La formule de base, associée aux autres vitamines (C, E et celles du complexe B), vous aideront à refaire vos anticorps. Mais il vous faut éliminer le café, le thé, les vins et l'alcool, les fritures et les additifs chimiques.

Engourdissements

Les engourdissements sont des signes fugaces d'un problème circulatoire et de défauts de la conduction du système nerveux. Il est bon de revoir votre alimentation et d'éviter les toxines des additifs chimiques. La complémentation devrait comprendre des vitamines (C, E, F et celles du complexe B), de la lécithine, du zinc, du calcium et du magnésium. Un peu d'activité vous aidera à vous débarrasser des toxines accumulées.

Problèmes menstruels

Beaucoup d'auteurs confirment mon expérience qui démontre que l'alimentation, l'activité physique, le bon alignement de la colonne et l'aplomb des pieds sont tous des éléments qui jouent un rôle dans les tensions prémenstruelles. Les compléments qui semblent avoir quelques résultats sont les vitamines du complexe B, la vitamine F (acide gamma-linoléique) et les fibres de luzerne afin que le tube digestif se vidange bien.

Fibromes, hémorragies, endométriose

Beaucoup de ceux qui présentent ces états ont déjà eu des problèmes avec leur foie (constipation, cellulite, cholécystectomie). Ces problèmes dépendent d'une alimentation pauvre en fibres et en eau, pauvre en fruits et légumes frais, pauvre en aliments frais en général. Ils ont trop de toxines accumulées. Il serait important qu'ils se complémentent avec une formule de base et vérifient s'ils ne sont pas en voie de se décalcifier. Beaucoup d'aliments frais, des herbes-fibres et une gymnastique réduisent la cellulite et la constipation.

Insomnie

Les problèmes du sommeil sont fréquents chez ceux qui sont en carence de calcium, de magnésium et de vitamines du complexe B. Souvent, l'insomnie est un signe avant-coureur d'une arthrose, de problèmes de tension artérielle et cardiaque. La complémentation et un régime corrigé qui élimine les excès de viandes rouges et de sucreries améliorent grandement la situation. Les activités de dégourdissements et le plein air changeront aussi bien des choses pour le mieux.

Troubles de mémoire et pertes de connaissance

Ces troubles peuvent être des signes avant-coureurs de bien des pathologies du système nerveux. Voyez à vous complémenter en vitamines du complexe B, en lécithine et en vitamine F (acide gamma-linoléique), en plus de prendre la formule de base, du calcium et du magnésium. Brossez-vous la peau durant votre bain pour stimuler votre système tactile.

Psoriasis

L'alimentation est fondamentalement à corriger en soustrayant les alcools, le café, les nitrites, les sulfites, les aliments industriellement préparés, les charcuteries et les fritures. Il faut une complémentation riche en minéraux et en acides gras essentiels comme la lécithine, les vitamines E, D et F.

Eczéma

Les aliments les plus souvent en cause sont les chocolats, les tomates, les noix, les oranges, les œufs. Les produits laitiers sont également en cause. L'AGL et les huiles de première pression, le calcium, et le lavage des légumes et des fruits avec le Basic-H (Shaklee) aident à éliminer les additifs chimiques et les fongicides. Un savon doux comme le Dove ou le Neutrogena ou l'Ancens aidera. L'application d'huiles thérapeutiques aux amandes douces assouplit la peau.

Acné

L'acné est le propre d'un adolescent qui mange trop de fritures, boit trop de lait et ne consomme pas assez de fibres, de légumes et de fruits frais. Son foie est surchargé et les hormones androgènes ne sont pas éliminées par les sels biliaires, comme cela devrait se faire normalement après que ces hormones ont procuré leur action aux organes cibles. L'adolescent qui a terminé sa période de croissance ne devrait pas continuer à consommer en excès des produits laitiers, des fritures et des sauces. Des aliments contenant du soufre, du zinc, des vitamines du complexe B, de la bêta-carotène et les mêmes compléments de base peuvent l'aider grandement. Le chou, les oignons, les poireaux, le persil sont, avec la luzerne, les aliments qui devraient faire partie de son alimentation quotidienne. Le plein air, les exercices provoquant la sudation, une bonne hygiène corporelle et le temps feront le reste.

Mal au dos

Une décalcification est à éviter. Alors voyez à vos postures de travail et à la symétrie de longueur de vos jambes.

Mauvaise usure des chaussures

J'ai cru bon d'en glisser un mot parce que c'est un indice d'un mauvais alignement des pieds. Ces anomalies de la marche provoquent des problèmes d'incoordination, des risques d'accidents de la colonne, de l'usure précoce des articulations, des problèmes visuels et de la céphalée. Voyez votre médecin pour qu'il fasse évaluer votre posture, la longueur de vos membres, les points d'appui plantaire. Il saura vous référer aux spécialistes concernés par ce genre de problèmes et vous vous éviterez ainsi une fatigue excessive.

Caries ou perte de dents

Voilà un indice que votre hygiène dentaire et votre hygiène alimentaire ont fait défaut. La perte des dents entraîne un problème grave de mastication et éloigne les gens des fruits et des légumes frais. La constipation en est la complication. Parce que ces personnes étaient aussi très proches des sucreries et des aliments raffinés, le problème est double. Il est inutile de vous dire que vous avez une alimentation à corriger et une complémentation équilibrée à prendre.

Je suis une personne ayant un handicap physique (je me déplace en fauteuil roulant)

Portez attention à vos aliments et faites des exercices d'étirement afin d'éviter les troubles du dos. Une alimentation équilibrée devrait tenir compte des dépenses énergétiques qui sont probablement réduites. La complémentation empêchera que le manque de mouvement provoque une stase de la lymphe, causant de la cellulite et de la constipation.

Alcoolisme et toxicomanie

Non seulement vous avez eu des problèmes émotifs, mais ceux-ci ont probablement commencé en vous tenant éloigné d'une bonne alimentation. Vous avez perdu beaucoup de complexe B et de magnésium en mangeant peu; voyez-y.

Ainsi se termine ce bref rappel de votre dossier médical. Comme vous avez pu le constater, le retour à une alimentation saine et variée ainsi qu'une complémentation adéquate sont des outils précieux dont vous devez vous servir pour vous ramener dans le chemin de la santé.

SIXIÈME CONSIDÉRATION: VOTRE DOSSIER CHIRURGICAL (Question 7)

Je n'ai plus de dents

La mastication avec une bonne dentition est primordiale. Les céréales complètes se doivent d'être mastiquées afin d'en extraire leur valeur nutritive. Il en est de même des pâtes alimentaires et du pain dont la digestion commence avec l'action des enzymes de la salive. Les dents sont importantes aussi pour couper et mastiquer les légumes, les fruits et les légumineuses. Sans elles, nous ne pouvons assimiler les nutriments de ces cellules. Par contre, les viandes sont directement digérées par les acides de l'estomac.

Sans la mastication, vous vous privez d'une bonne assimilation (15%) et vous pouvez être affecté de ballonnement et d'hyperacidité gastrique par excès de fermentation. Toute réduction de la digestion et de l'assimilation cause une malnutrition. Le pire problème en est la constipation.

Je n'ai plus d'estomac

Ce manque entraîne une accélération du passage des aliments à l'intestin grêle et diminue le temps de la digestion et de l'assimilation, réduisant ainsi l'apport général en nutriments. Les viandes doivent presqu'être éliminées. N'en buvez que le jus.

Je n'ai plus de vésicule biliaire

La cholécystectomie provoque une grave réduction de l'assimilation des lipides ou des huiles et des graisses. La bile du foie n'étant plus concentrée par la vésicule, le pouvoir de saponification des graisses est réduit; l'absorption des vitamines solubles dans ces graisses (A, E, D, K) est alors forcément diminuée.

Examinons maintenant les effets de ces manques. La baisse d'assimilation des huiles provoque une peau sèche et fragile. Les cheveux et les ongles perdent leur lustre; les muqueuses des bronches et de l'intestin, en raison d'une carence en vitamine A, sont fragiles, s'infectent facilement et s'ulcèrent. Le manque relatif de vitamine D rend le calcium moins transportable et moins utilisable, provoquant une plus grande fragilité des articulations et des os, de l'insomnie et des palpitations. La protection assurée par la vitamine E étant moins grande, les vaisseaux sanguins sont plus fragiles et s'obstruent plus facilement. Ces problèmes deviennent plus évidents dans les quatre ou cinq années qui suivent la cholécystectomie.

Voici ce que je vous suggère afin de contrecarrer les effets néfastes de cette intervention sur la nutrition. Tout d'abord, un apport accru d'huiles pressées à froid comme la lécithine et la vitamine F (acide gamma-linoléique). Prenez ensuite à tous les jours de la vitamine A ou bêta-carotène (10 000 unités internationales (ui) ou plus par jour), de la vitamine D associée au calcium et au magnésium (400 ui) et de la vitamine E (200 à 600 ui). Il faut aussi comprendre que, la bile n'étant plus là, le tube digestif est sensible aux bactéries et aux irritants alimentaires, donc au cancer.

Je n'ai plus de rate

La rate sert de filtre au sang et à ses éléments qu'il débarrasse des pneumocoques et des virus. Il est bon de voir à maintenir une plus grande résistance de votre système immunitaire avec les vitamines E et C, et en respectant les quantités quotidiennes requises de protéines.

Je n'ai plus d'ovaires

Le meilleur conseil que je pourrais donner aux femmes, ce serait de ne pas se laisser enlever les ovaires inutilement, comme cela se produit trop souvent. Les ovaires, même s'ils ne forment plus d'ovule après la ménopause, sécrètent encore des hormones importantes pour l'homéostasie du calcium et le maintien d'une peau lisse et souple. En évitant les surcharges graisseuses du foie, en évitant aussi la constipation et l'accumulation de cellulite, les ovaires fonctionneront toujours bien. Il est donc important de prendre en grande quantité des fruits, des légumes, des céréales complètes et des légumineuses. Si vous n'avez plus vos ovaires, il existe des hormones de remplacement auxquelles vous associerez des compléments de calcium, de magnésium et de vitamine D.

J'ai eu des transplantations de vaisseaux sanguins (pontages)

Vous êtes quelqu'un qui avez les vaisseaux sanguins bouchés par de l'artériosclérose à la suite d'un régime alimentaire trop riche en fritures, en graisses, en sucreries et en farines blanches. Il vous faut une cure de nettoyage complète parce que les nutriments ne peuvent plus atteindre les organes pour les nourrir. Dorénavant, mettez-vous aux fruits frais, aux légumes de toutes sortes, aux légumineuses, aux huiles pressées à froid (première pression), aux céréales complètes et tenez-vous loin de vos habitudes antérieures. Ajoutez du calcium et du magnésium, des vitamines E, C, B, de la lécithine et de la vitamine F (acide gamma-linoléique). Reprenez de l'activité physique progressivement et prenez l'air plus souvent. Changez de cap. Peut-être devriez-vous penser à la «chélation» avant qu'il ne soit trop tard.

J'ai été amputé

Votre amputation peut avoir été le résultat de la gangrène ou de l'artériosclérose, du diabète. Comme votre activité physique est diminuée, pensez-y quand vous mangez. Selon la cause, il vous faudra un ajustement alimentaire et peut-être une complémentation.

J'ai été opéré en raison d'un cancer

Vous ne devriez manger que des aliments frais, lavés et éviter les produits animaliers. Prenez une complémentation de vitamines A, E, C qui serviront de boucliers pour les cellules bonnes.

J'ai eu une ressection de l'intestin grêle

Vos facultés d'assimilation sont réduites. Soyez donc plus vigilant et veillez à vous complémenter. Si vous avez eu une ressection du côlon, il est tout probable que les fibres alimentaires ont fait défaut dans votre régime alimentaire.

J'ai eu une ressection des bronches et du poumon

Il vous faudra assainir votre environnement et vous munir du bouclier que forment les vitamines A, E, C. Prenez l'air et assouplissez votre cage thoracique par des exercices. Une formule générale de complémentation vous redonnera des forces.

SEPTIÈME CONSIDÉRATION: VOTRE DOSSIER PHARMACEUTIQUE (Question 8)

Les médicaments pour la pression

Ils indiquent que vous prenez des diurétiques ou des hypotenseurs. Les hypertendus vont profiter de fruits riches en potassium, comme les oranges, les dattes, les bananes, etc. associés à une complémentation en calcium et en magnésium à tous les jours. Corrigez donc votre alimentation et prenez plus de fruits et de légumes frais. Prenez plus d'eau et réduisez votre consommation de sodium, de sucreries et de viandes rouges.

Les hypoglycémiants

L'insuline ou les autres médicaments que vous prenez par la bouche auront bien meilleur effet si vous revenez à un régime comprenant des fruits et des légumes frais. Ceux-ci ont peu de calories et votre excès de poids sera vite réduit. N'ayez pas peur de prendre du zinc en complémentation en plus de la formule générale.

Les contraceptifs

En plus d'être extraits de l'urine de jument, les contraceptifs provoquent la rétention d'eau, des hausses de pression, de cholestérol et des déficiences en acide folique et en complexe-B. Ils favorisent les phlébites. Apprenez donc à connaître votre cycle et demandez aux hommes qu'ils le comprennent aussi. Si vous fumez, le danger est plus grand. Complémentez-vous en vitamine E.

Les antibiotiques

Ceux-ci, en plus de témoigner que vous avez laissé votre système immunitaire s'affaiblir par une mauvaise alimentation, impliquent une perte de vitamine B comme la biotine, de vitamine K et d'acide folique.

Les diurétiques

Vous devez réduire le sodium et augmenter le potassium. Mais l'accélération de l'élimination de l'eau en rétention entraîne aussi la perte des vitamines hydrosolubles comme les vitamines du complexe B, la vitamine C.

Les antiacides

Avoir des brûlures à l'estomac devrait vous ramener à manger des aliments moins irritants que les charcuteries, les produits laitiers et les desserts. Prenez des soupes aux légumes. Ajoutez une complémentation de carbonate de calcium et de magnésium et du zinc pour cicatriser et réduire l'acidité. Mastiquez plus et buvez plus d'eau distillée. Les antiacides qui contiennent des alumines devraient être enlevées. Les antiacides ralentissent aussi l'assimilation à l'intestin et créent des dommages. Rectifiez votre alimentation lorsque ces signes physiques sont présents.

Les médicaments pour les cœurs fatigués

Ils devraient vous inciter à prendre une complémentation de potassium et de calcium dans votre alimentation. Vous devriez soustraire les viandes grasses et accroître les végétaux.

La cigarette

Si vous ne pouvez pas encore décider de vous en passer, prenez une complémentation alimentaire et plus de vitamines E et C.

L'alcool

Il détruit les vitamines liposolubles et active la perte des vitamines hydrosolubles en accroissant le flot urinaire. L'alcool est équivalent aux graisses dans le régime alimentaire et provoque les mêmes effets, en plus de couper le système nerveux et la capacité de réfléchir.

La cortisone

Elle retient le sodium et l'eau. Elle fait fondre la musculature, provoque des ulcères, rend propice aux infections, altère le métabolisme des sucres, etc. Agissez avec prudence et choisissez des aliments sains.

L'aspirine ou l'acétylsalicylique

Elle provoque des irritations de la vessie et des reins si elle est prise sur une période prolongée. Elle éclaircit le sang et favorise les ulcères intestinaux. Prenez de la vitamine C et E et du zinc. Il en va de même pour les médicaments pour la douleur et l'arthrite. Vous souffrez parce que vous mangez mal, voyez-y.

Les tranquilisants et les somnifères

Une autre plaie de notre société moderne qui, au lieu de questionner sa nutrition, préfère geler son mal. Ceux qui en prennent devraient se regarder dans un miroir; ils verraient qu'ils ont des yeux de poisson. Complémentez en attendant de retrouver la vérité d'un bon régime alimentaire.

Les régimes pour maigrir

Il n'y a pas de régimes pour maigrir. Il n'y a qu'un régime normal et équilibré. Ces régimes pour maigrir ne font que débalancer les individus qui les pratiquent. La plupart du temps, la mastication se fait trop rapidement, les aliments sont avalés tout ronds, et la variété et la fraîcheur des aliments font défaut. Introduisez plus de fruits et de légumes, mâchez mieux et veillez à vous complémenter.

Chacun de ces paragraphes pourrait faire le sujet d'un volume. Il est plus court de dire que, si vous avez été malade autrement que par un accident d'auto, de ski ou de travail, c'est que, depuis un certain temps, peut-être des mois et des années quand ce n'est pas des générations, vous avez tout simplement oublié de manger des aliments variés à chacun de vos repas, que vous avez oublié de manger des aliments crus dans des quantités proportionnelles à vos dépenses et votre économie corporelle.

Écrivez votre journal alimentaire pendant deux semaines en mentionnant le nom des aliments que vous consommez par habitude et voyez une nutritionniste, une diététicienne ou un médecin qui s'intéresse à la nutrition. Vous aurez alors fait un grand pas dans l'accroissement de votre dynamisme, de votre énergie, de votre bonheur et de votre richesse. **Une âme saine dans un corps sain. La santé du corps organique, c'est la nutrition; celle du corps physique, c'est l'activité; celle de l'intelligence, c'est l'éveil des sens; celle de l'affectivité, c'est l'équilibre dans les relations; et celle de la spiritualité, c'est le contact avec un absolu par la prière. Le tout forme cette force vitale qui vous permet de servir les autres.**

CHAPITRE 17

COMMENT FORMULER UNE COMPLÉMENTATION DE BASE

Je prends comme base les formules alimentaires de Shaklee Canada[1] pour vous fournir un exemple pratique d'une complémentation bien équilibrée et facile à utiliser. Les dosages de ces compléments sont petits, les nutriments sont variés et vivants (non cuits). Remplissez d'abord le bref bilan alimentaire qui suit.

BILAN ALIMENTAIRE

1. **Eau**
   1 2 3 4 5 6 et plus verres par jour
2. **Céréales complètes** (blé entier, pâtes, pain brun...)
   1 2 3 4 portions/jour
3. **Fruits frais** (agrumes et autres)
   1 2 3 par jour
4. **Légumes** (racines, tiges, feuilles)
   1 2 3 4 5 6 par jour

---

1. Pour plus d'informations, composez sans frais le 1-800-263-9138 ou le 1-800-263-9146.

5. **Légumineuses** (noix, amandes, fèves, lentilles, germes)
   1 2 3 portions par jour
6. **Œuf, caviar**
   1 2 par jour
7. **Poissons et fruits de mer**
   1 2 portions par semaine
8. **Viandes, abats**
   1 2 3 portions par semaine
9. **Produits laitiers** (lait, fromage, yogourt)
   1 2 3 portions par jour
10. **Additifs chimiques** (colorants, sucres raffinés, farines blanches, desserts sucrés)
    oui non
11. **Complémentation** (Protéines,vitamines et minéraux multiples)
    1 2 3 4 fois par jour

Ce simple bilan, qui vous indique les quantités que vous devriez prendre de chaque groupe alimentaire, vous aidera à voir combien votre régime quotidien est près ou éloigné de la santé optimale. Voyez ce qui manque et veillez à corriger la situation. Vous trouverez en annexe une grille d'évaluation quotidienne qui vous aidera à évaluer les aliments dont on a besoin au jour le jour, selon que l'on soit un enfant, un adolescent, un adulte ou une femme enceinte et allaitante.

EAU

Vous ne consommez pas assez d'eau? Corrigez cela et consommez de préférence de l'eau de source, distillée, filtrée (propre).

CÉRÉALES COMPLÈTES

Si vous n'en prenez pas suffisamment depuis longtemps, vous manquez de fibres, de vitamines du complexe

B et de vitamine E, d'hydrates de carbone, de protéines végétales, de fer et de quelques minéraux.

FRUITS FRAIS

Si vous consommez peu de fruits frais, vous manquez de sucres naturels, de vitamine C, d'un peu de vitamine A et de fibres.

LÉGUMES

Si vous consommez peu de variétés de légumes crus, vous manquez de minéraux, de vitamines A et C, de zinc et de luzerne.

LÉGUMINEUSES

Si vous n'en consommez pas suffisamment, vous manquez de minéraux, de fibres, d'huiles essentielles, de vitamines A et E, de vitamines du complexe B ainsi que de protéines et de lécithine.

ŒUFS, CAVIAR

Si vous en avez peu consommé, vous manquez de vitamines A, E et D, de lécithine et de protéines.

POISSONS ET FRUITS DE MER, ALGUES

Si vous en consommez peu, vous manquez de calcium, de phosphore, de magnésium, d'iode, de vitamines A et D et d'huile oméga.

VIANDES ET ABATS

Si vous en consommez trop, vous videz vos réserves de calcium. Si vous n'en consommez pas du tout, vous manquez de vitamine B_{12} et de protéines.

PRODUITS LAITIERS

Si vous en consommez trop, vous pourrez présenter de la constipation et des problèmes au foie parce que vous

vous enlevez la faim et que vous manquez de fibres et de protéines végétales. Il y a de la vitamine D ajoutée au lait (400 ui/30 onces). Le besoin normal en produits laitiers est de 15-20 onces par jour.

ADDITIFS CHIMIQUES

Si vous consommez souvent des aliments contenant des préservatifs et des colorants artificiels, vous videz vos réserves de vitamines A, E, C et de vitamines du complexe B. Si vous mangez très salé par goût, vous manquez du potassium des fruits et de minéraux. Si vous mangez trop de sucreries, vous manquez de minéraux et vous altérez le métabolisme des graisses et des protéines.

Vous avez bien pris en note vos manques ou vos excès ? Maintenant, vous comprenez mieux ce que vous avez à corriger dans votre alimentation et ce que vous avez à prendre comme complémentation.

COMMENT FORMULER UNE COMPLÉMENTATION ALIMENTAIRE

C'est vrai que cela peut vous sembler compliqué de corriger les manques et les écarts des habitudes alimentaires et de vie qui vous ont éloigné de la santé. Il aurait fallu acquérir en bas âge de bonnes habitudes, mais l'éducation a souvent fait défaut. Cependant, maintenant que vous êtes plus conscient, vous pourrez faire de meilleurs choix.

Il vous faut un régime alimentaire **vivant** qui inclue donc des aliments crus, **varié** (des 6 à 7 groupes alimentaires) et **équilibré** (contenant dans une juste proportion les macro et les micronutriments). Je vous ai déjà indiqué les constituants d'un bon régime quotidien. Voici maintenant mon choix pour une complémentation équilibrée, c'est-à-dire qui respectera les trois qualités que je viens de vous mentionner plus haut. Comme vous prenez trois à quatre repas par jour, les nutriments que vous ajoutez en complémentation devraient être en petites doses afin de ne pas saturer les mécanismes de bio-disponibilité de votre intestin et de votre foie.

FORMULE DE BASE

Cette formule de base peut être appliquée à tous. Veillez d'abord à ce que votre intestin fonctionne bien en prenant des herbes-fibres et de l'eau (1 à 2 comprimés, 2 à 3 fois par jour). Quant votre intestin fonctionne régulièrement pendant dix jours avec ces comprimés d'herbes-fibres, ou en y ajoutant des herbes laxatives, vous pouvez commencer la complémentation.

PROTÉINES

Poudre à diluer dans l'eau ou dans un jus: 1 à 3 c. à thé, 2 à 3 fois par jour.

VITA-LEA

Multi-vitamines et minéraux: 1 comprimé, 2 à 3 fois par jour, associé aux protéines.

LUZERNE

Elle fournit plusieurs nutriments qui sont associés aux enzymes (voir «Soyez bien dans votre assiette jusqu'à 80 ans et plus» du Dr. C. Kousmine). Prendre 3 à 5 comprimés à chaque repas.

Voilà la formule de base. Comme vous avez aussi revu votre alimentation, voici maintenant comment combler les écarts que vous avez notés.

VITAMINES DU COMPLEXE B

Si vous avez mangé des céréales raffinées, des aliments toujours cuits; si vous avez bu de l'alcool, pris des contraceptifs, bu du café, pris des antibiotiques. Prendre 1 à 3 comprimés à chaque repas.

VITAMINE C-100, 200, 500

Si vous avez pris peu de fruits, si vous fumez, si vous êtes exposé aux fumées industrielles, si vous faites des infections ou des maladies du système immunitaire (dose quotidienne: 50 mg (minimum); 5 000 mg (maximum)

VITAMINE E 25, 100, 200, 400 + SÉLÉNIUM

Si vous avez des infections, si vous êtes exposé aux fumées, à la chimie alimentaire, si vous avez été opéré pour le foie, si vous avez présentement ou avez eu dans le passé un cancer, si vous avez fait des phlébites, des fissures, etc. Dose quotidienne: 100 à 400 ui (minimum); 1 000 à 1 200 ui (maximum).

LÉCITHINE

Si vous avez la peau sèche, si vous avez été opéré pour le foie, si vous présentez de l'artériosclérose, de la sclérose en plaques, des troubles nerveux, etc. Si vous avez négligé de manger des légumineuses, des œufs et des huiles pressées à froid. Prendre 1 à 5 capsules par jour.

ACIDE GAMMA-LINOLÉIQUE (AGL)

Si vous avez négligé de manger des légumineuses, des huiles pressées à froid, si vous avez du psoriasis, de l'eczéma, des ongles et des cheveux gras ou secs, etc. Peut vous aider si vous avez des tensions prémenstruelles. Prendre 1 à 4 capsules de 500 mg/jour.

CALCIUM-MAGNÉSIUM + VITAMINE D (CALCIUM-MAGNÉSIUM PLUS ET VITA-CAL PLUS)

Si vous avez négligé les légumes et les fruits, si vous avez abusé des viandes rouges ou du sucre, dans les cas de troubles osseux de toutes sortes, d'insomnie, de nervosité. Dosage quotidien: 500 mg (minimum); 1 500 mg (maximum).

ZINC

Si vous avez des taches blanches sous les ongles; si vous avez mangé des aliments toujours cuits dans l'eau et des aliments en conserve; si vous faites des infections fréquentes et des plaies qui guérissent mal. Prendre 1 à 3 comprimés de 15 mg par jour.

FER

Lorsque vous êtes menstruée, que vous avez peu mangé de viande ou de légumes, comme dans les cas d'anémie ou d'infections répétées. Prendre 1 à 2 comprimés de 15 mg par jour.

SUBSTITUT DE REPAS (SLIM PLAN OU VITA BAR)

Lorsque vous vous apprêtez à grignoter, à sauter un repas; lorsque vous avez une rage de faim ou une faiblesse subite due à un état de jeûne involontaire; lorsque vous faites de la compétition; que vous êtes placé devant un surcroît de travail.

Ce sont là des exemples sur la façon de procéder selon mon expérience. À l'essai, vous vous sentirez vous-même et pourrez, selon la vigueur obtenue, diminuer ou augmenter progressivement et prudemment les dosages.

Pendant combien de temps doit-on poursuivre cette complémentation ? Si votre vigueur vous tient à cœur, vous prendrez toujours la formule de base. Vous devriez, en ces temps de chimie alimentaire, rester en contact régulier avec la complémentation tout comme vous vous gardez une source de chaleur à la maison même par temps chaud. La chaleur, c'est utile, les compléments, c'est vital !

Prenez le temps de comprendre, c'est le bien le plus précieux. La médecine a pris 200 ans à comprendre le rôle des vitamines C et D. Demandez à un médecin s'il se passerait de ces vitamines pour traiter un scorbutique ou un rachitique. La nutrition sera toujours la base de la santé. La complémentation que je viens de suggérer procède par petites doses et c'est son équilibre qui en fait sa force.

Votre santé, c'est votre courage pour vous adapter. Votre courage, c'est la vigueur pour aimer malgré tout.

CONCLUSION

LE PROGRAMME DE CHACUN POUR UNE SANTÉ SANS PRESCRIPTION

J'ai compris, je passe maintenant à l'action avec ce qui suit en tête et au cœur.

PREMIÈREMENT

Fini de penser à la vieillesse; j'entretiens ma jeunesse sur le concept de l'arbre qui pousse, se renforce et dépasse les saisons. C'est une nouvelle mentalité qui m'anime. Je suis unique et j'ai à produire, en 100 ans, un service unique au monde qui m'entoure.

DEUXIÈMEMENT

J'ai appris durant ma vie familiale et mes années scolaires. J'ai aussi derrière moi une existence vécue unique en son genre, avec ses expériences, ses réussites et ses échecs. J'ai vécu des expériences et des épreuves dont personne d'autre ne peut connaître la portée sur ma vie; personne d'autre que moi ne peut leur attribuer des valeurs positives. J'ai appris durant trente ans; j'ai ensuite compris et me suis pratiqué dans diverses techniques selon mon métier, ma profession et mes intérêts. À partir de mes soixante ans, je peux donner les résultats positifs de mes expériences aux plus jeunes et à ceux qui cheminent sur le dur chemin de l'existence.

TROISIÈMEMENT

J'ai compris de peine et de misère que les autres nous aiment comme ils le peuvent et non comme ils le veulent. Et maintenant, je m'aime et je me garde l'esprit et la conscience ouverts afin de ne pas laisser les autres subir ma façon de les aimer. J'apprends ainsi à m'aimer et à donner aux autres ce que j'aime le plus de moi-même.

QUATRIÈMEMENT

J'ai réussi à faire quotidiennement des efforts, à trouver la façon d'être plus efficace dans mon service tout en économisant mes dépenses afin de servir longtemps et sans être dépendant à outrance, juste assez pour être autonome.

CINQUIÈMEMENT

J'ai compris que je dois avoir les deux pieds d'aplomb pour que mes muscles et mes os me servent longtemps et sans plus de douleur que la fatigue du quotidien compensée par une saine nuit de repos. Aussi, j'ai compris que mes rêves sont des rêves, que mes désirs ne sont que des désirs, que mes besoins ne sont que des besoins sans urgence, et que la plus grande réalité, c'est la maîtrise de mes capacités et le développement jour après jour de mon potentiel afin de rendre aux autres le meilleur des services.

SIXIÈMEMENT

J'ai compris qu'entretenir ma machine humaine, mon corps, c'est en même temps entretenir l'instrument de mon animation ou de mon âme. J'ai compris que ce corps s'entretient par la vie des aliments que je consomme et qui veulent bien se sacrifier à ma table dans le partage avec les autres selon les règles de l'équilibre. J'ai entrepris de corriger les écarts qui m'ont éloigné de la santé en essayant de remplir mes jours d'activité de plein air, de répondre à ma soif par de l'eau pure, de faire mes repas à partir d'aliments vivants et variés et de répondre à mes sensations de fatigue par des périodes de repos régulières. Tout cela, parce que j'entretiens chez moi le meilleur afin de partager le meilleur de moi avec les autres.

Voilà les grandes lignes de ma santé et de ma force vitale. Je ne cherche plus à fuir le temps, ni à le tuer ou à le mesurer. Je vis le temps, en amoureux de ce à quoi il me permet d'accéder: la plein conscience du Grand-œuvre de la création et de ses créatures.

Aujourd'hui je commence à accroître ma vigueur par une plus grande conscience de la façon de la nourrir.

ANNEXE 1

GRILLE D'ÉVALUATION QUOTIDIENNE

(Tiré de «La nutrition à bon prix», publication de Santé et Bien-être social du Canada, 1979)

ENFANTS (jusqu'à 11 ans)

Lait et produits laitiers 2 à 3 portions	□ □ ○
Pain et céréales 3 à 5 portions	□ □ □ ○ ○
Fruits et légumes 4 à 5 portions (au moins 2 légumes)	□ □ □ □ ○
Viande et substituts 2 portions	□ □

ADOLESCENTS

Lait et produits laitiers 3 à 4 portions	□ □ □ ○

Pain et céréales 3 à 5 portions	☐ ☐ ☐ ○ ○
Fruits et légumes 4 à 5 portions (au moins 2 légumes)	☐ ☐ ☐ ☐ ○
Viande et substituts 2 portions	☐ ☐

ADULTES

Lait et produits laitiers 2 portions	☐ ☐
Pain et céréales 3 à 5 portions	☐ ☐ ☐ ○ ○
Fruits et légumes 4 à 5 portions (au moins 2 légumes)	☐ ☐ ☐ ☐ ○
Viande et substituts 2 portions	☐ ☐

FEMMES ENCEINTES ET ALLAITANTES

Lait et produits laitiers 3 à 4 portions	☐ ☐ ☐ ○
Pain et céréales 3 à 5 portions	☐ ☐ ☐ ○ ○
Fruits et légumes 4 à 5 portions (au moins 2 légumes)	☐ ☐ ☐ ☐ ○
Viande et substituts 2 portions	☐ ☐

COMMENT FAIRE L'ÉVALUATION

Un carré représente une portion. Les carrés représentent les portions minimales recommandées; les cercles représentent des portions supplémentaires facultatives, tel que suggéré dans le Guide alimentaire canadien. Pour chaque aliment consommé appartenant à un groupe d'aliments, noircir le carré ou le cercle approprié.

ANNEXE 2

LA CRÈME BUDWIG DU DOCTEUR C. KOUSMINE [1]

Au lieu des traditionnels café au lait, pain, beurre et confiture du petit déjeuner habituel, prenez du thé léger et de la crème Budwig selon la recette ci-dessous (ration pour 1 personne).

Battre en crème 4 cuillères à café de fromage blanc maigre, éventuellement de Tofu, et 2 cuillères à café d'huile de lin (Biolin), avec une fourchette dans un bol ou, si la famille est grande, dans un mixer (mélangeur).

Ajouter le jus d'un demi-citron, une banane bien mûre écrasée ou du miel, une ou deux cuillères à café de graines oléagineuses *fraîchement moulues* (au choix: lin, tournesol, sésame, amandes, noix ou noisettes, etc.), 2 cuillères à café de céréales complètes *fraîchement moulues et crues* (au choix: avoine, orge mondé, riz complet, sarrasin[2]) et des fruits frais variés.

---

1. Extrait du livre du Dr C. Kousmine - ***Soyez bien dans votre assiette jusqu'à 80 ans et plus*** - Éditions Primeur/Sand, 1985, p. 40-41 et 44.
2. Le blé et le seigle crus sont souvent mal tolérés.

Pour moudre les graines oléagineuses et les céréales, un petit moulin à café électrique est nécessaire[3], le récipient contenant le couteau rotatif devant être suffisamment solide pour supporter l'impact des céréales (métal ou plastique épais).

L'huile de lin doit être battue avec assez de vigueur pour être émulsionnée et disparaître totalement dans le fromage blanc. Elle perd ainsi son goût, n'est plus décelable et devient aisément assimilable. À défaut d'huile de lin, employer de l'huile de tournesol ou de germe de blé.

«Lorsque j'ai été amenée à pratiquer la réforme alimentaire, j'ai constaté après de nombreux essais, qu'il est plus aisé de faire exécuter ponctuellement une recette culinaire que d'obtenir l'emploi régulier de certains aliments porteurs de vitamines qui nous sont indispensables. L'introduction de la crème Budwig au petit déjeuner a été la ruse de guerre efficace, qui a permis d'obtenir chez la majorité de mes malades la modification nutritionnelle recherchée.»

«La crème Budwig est un repas cru, naturel, composé uniquement de produits frais. Le rapport de la quantité des (vitamines + oligo-éléments) à celle des calories y est extraordinairement favorable. Ce repas «tient au corps» beaucoup plus longtemps que le petit déjeuner traditionnel et rend en général les collations de 10 heures superflues. Dans un essai personnel, fait en course de montagne, au lieu de ressentir un besoin impérieux de nourriture deux heures après un petit déjeuner habituel, riche en calories vides, nourrie de crème Budwig le matin, j'ai pu faire avec aisance une montée de six heures sans autre ravitaillement.»

3. À ce sujet, informez-vous auprès de votre magasin d'alimentation naturelle; peut-être pourra-t-on moudre les céréales et les graines oléagineuses sur place ou vous en procurer déjà moulues d'avance et fraîches.

«Bien préparée, c'est un mets jugé délicieux, réclamé par les enfants et tout spécialement apprécié par les personnes âgées qui déclarent ne plus pouvoir s'en passer. C'est un plat très digeste et accepté dans la règle, même par les grands malades. On peut en varier le goût et la présentation en y incorporant des fruits de saison, mélangés à la masse, s'il s'agit de baies (framboises, mûres, etc.) ou déposés en surface, si ce sont des poires, des oranges, des pêches, etc.»

«Il faut savoir que ceux qui souffrent de constipation doivent préférer le lin aux autres graines oléagineuses, et l'avoine aux autres céréales. Les personnes délicates, ayant facilement des diarrhées, choisiront les graines de tournesol et les amandes parmi les oléagineux et le riz complet ou le sarrasin, parmi les céréales.»

«Certaines personnes préfèrent dissocier la crème Budwig, prendre les noix, les amandes, les céréales crues et les graines oléagineuses le matin, l'émulsion de l'huile de lin dans le fromage blanc, tartinée sur du pain avec du Cenovis (extrait de levure) par exemple, à un autre repas. Il n'y a aucun inconvénient à procéder ainsi.[4]»

4. Les personnes qui se sont procuré à l'ADAS le livre **La cuisine-santé de Gabrielle** de madame Gabrielle Croft y trouveront une variante très intéressante et très nourrissante de la crème Budwig à la page 19 (le déjeuner santé).

BIBLIOGRAPHIE

LECTURES SUGGÉRÉES [1]

ADAS, *Défi Santé (Bio-Apprenti-Sage)*, Bulletin mensuel de l'Association des Apprentis-Sages.*

AIROLA, Paavo, *How to get well*, Health plus publishers, 1985.

BERGER, Stuart M., *How to be your own nutritionist*, William Morrow and Company, N. Y., 1987.

CROFT, Gabrielle, *La cuisine-santé de Gabrielle*, Éditions Primeur/Sand, 1988, 154 pages.*

DUVAL, T., DROUIN, R., *Sucrons sans sucre*, Éditions Québec Agenda, 1987, 136 pages.*

FAELTON, Sharon, *Les allergies*, Éditions Québec Agenda, 1987, 559 pages.*

FAELTON, Sharon, *Les minéraux*, Éditions Québec Agenda, 1988, 610 pages.*

---

1. Tous les volumes suivis d'un astérisque sont disponibles à l'Association des Apprentis-Sages (ADAS), C.P. 7245, Charlesbourg, Québec, G1G 5E5.

GAUTHEY-URWYLER, J., *Manger sainement pour bien se porter*, Delachaux et Niestlé, 1984.

G. BIALER, Dr Henry, *Les aliments sont vos meilleurs remèdes*, SIP Monaco, 1983.

KOUSMINE, Catherine, *Sauvez votre corps*, Éditions Robert Laffont, 1987.*

KOUSMINE, Catherine, *Soyez bien dans votre assiette jusqu'à 80 ans et plus*, Éditions Primeur/Sand, 334 pages.*

KUNTZLEMAN, Charles T., *Votre potentiel d'énergie*, Éditions Horizon/Rodale, 1987, 390 pages.*

LAFONTAINE, R., LESSOIL, B., *Êtes-vous visuel ou auditif ?*, Édition Marabout, 224 pages.*

MAHER, Colette, *Rajeunir par la Technique Nadeau*, Québécor éditeur, 93 pages.*

MALLET, Jean-Francis, *Alimentation et Santé*, Université du Québec, Hull, 1985.

Mangez mieux, vivez mieux, Sélection du Reader's Digest, 1983.

MAROIS-TRUDEL, Solange, *Mets-y ton nez*, Édition Communication Pro Santé, 1989, 112 pages.*

SCALA, James, *Making the vitamin connection*, Harper & Row pub., 1985.

SUMERSALL, Allan, *Your very good health*, Harmony with nature pub., 1987.

INDEX

ASSOCIATION DES APPRENTIS-SAGES (ADAS)

En octobre 1986, le docteur Luc Roland Albert et ses collaborateurs mettaient sur pied l'Association des Apprentis-Sages (ADAS) afin de rassembler dans une même association les individus concernés par la santé et intéressés par l'approche globale développée par le docteur Luc Roland Albert.

Les buts de l'ADAS sont les suivants: consigner et centraliser les informations concernant la santé sous toutes ses formes; vulgariser et diffuser ces informations à la population en général, contribuant ainsi à la prévention des maladies par une prise en charge informée de sa propre santé.

À cette fin, plusieurs services sont offerts aux membres de l'ADAS:

- *Défi Santé (Bio-Apprenti-Sage)*: publication mensuelle rédigée par une équipe de professionnels de la santé et permettant aux membres d'avoir accès aux multiples facettes d'un développement harmonieux: la façon de mieux s'alimenter, la complémentation, l'exercice, le développement intellectuel et affectif, l'art de mieux-vivre avec soi-même et avec les autres, comment prévenir la maladie, etc.

- ***Propos-Santé*** : banque de textes écrits par le docteur Roland Albert et ses collaborateurs. Textes inédits et tirés-à-part des meilleurs articles des numéros épuisés de la publication. Consignés dans un format pratique que les membres peuvent conserver et consulter aisément.
- Diffusion de livres d'intérêt général touchant les différentes facettes de la santé.
- Cours sur l'alimentation naturelle, l'agriculture biologique, le bio-apprentissage, etc.
- Service de référence.
- Publication de volumes sur des thèmes spécifiques reliés à la santé.
- Organisation de conférences publiques.

L'ADAS est ouverte à toute personne désireuse de se donner, à peu de frais, un moyen concret de se prendre en main et de réaliser son plein développement.

Adressez toute demande d'information ou d'adhésion à: ADAS, C.P. 7245, Charlesbourg, Québec, G1G 5E5 (chèque ou mandat-poste acceptés).